光緒庚寅秋九月杭州許氏榆園校刊

文粹卷第八十二

吳興　姚鉉纂

書四　總一十首

論史

文粹卷第八十二

書四 總一十首

論史

答元侍御書 韓愈

與史館韓愈郎中書 元稹

與韓愈致段太尉逸事書 柳宗元

答皇甫湜書 李翺

答韓愈論史官書 柳宗元

答王績書 陳叔達

與陳叔達重借隋紀書 王績

論史上蕭至忠書 劉子玄

與馬植書 劉軻

答孟判官論宇文生評史官書 孫樵

君也惟天爲大惟堯則之巍巍乎其有成功也煥乎其有文章也又曰周監於二代郁郁乎文哉吾從周於是敘書即起堯典稱樂即美韶武論詩即首周南修春秋則繩以文武之道然後樂正雅頌各得其所至于幽厲桓莊逶迤陵頽斯不足徵也故曰夏禮吾能言之杞不足徵也殷禮吾能言之宋不足徵也足則吾能徵之矣是以三千之徒無道桓文之事者豈不教尊而後道高師聖而後功倍者也曾子曰尊其所聞則高明矣行其所知則光大矣又來書罪子長自序云夫子沒五百年而史記作非聖人而修聖人之名者素王之纂臣也美則美矣愚以爲未盡昔周公制禮五百年而夫子修春秋夫子沒五百年而子長修史記遷雖不得聖人之道而繼聖人之志不得聖人之才而得聖人之旨自以爲命世而生亦信然也且遷之沒已千載矣遷之史未有繼之者謂之命世不亦宜乎噫遷承滅學之後修廢起滯以論天人之際以通古今之變而微遷敘事廣其所聞是軒轅之道幾滅矣推而廣之亦非罪也且遷之過在不本於儒教以一王法使楊朱墨子得非聖人此遷之罪也不在於敘遠古示將來也足下豈不謂然乎夫聖人之於春秋所以教人善惡也修經以志之書法以勸之立例以明之恐人之不至也恐人之不學也苟不以其道示人則聖人不復修春秋矣不以其法教人則後世不復師聖人矣故夫求聖人之道在求聖人之心求聖人之心在書聖人之法法者凡例褒貶是也而遷捨之春秋尚古而遷變古由不本於經也以遷之雄才奮史筆不虛美不隱惡守凡例而書之則與左氏並驅爭先矣苟知聖人之法則知春秋之可興知春秋之可興則君子乎哉宇文生近之矣昔者仲尼門人得其門者然後見宗廟之美升其堂者然後見雅頌之聲入其室者然後見道德之奧雖道有污隆性有深淺然當其所得莫不有聖人之道故言而爲經動而爲教者學也不學而至者無焉故曰不登高山不知天之大也不臨深谿不知地之廣也不遊聖人之門不知道德之富也今大雅既隱賢人

隨之苟非君子孰能知道宇文生居於今之世行於古之道君子以爲難前志之所遺此子之所得君子以爲難爲僕謝之夫言大道者不可以小說應黃鍾者不可以末音師聖人者不可以無法三者知之斯爲難斯文之爲難斯又難之僕智不足而彊言之頓首

與馬植書　劉軻

始存之不以予古拙不責予以今人之態能遺其鉛黃外飾直索予心於古人之心在今之行古者然雖無以應君子幸存之不友予以面予何人敢不以心友於存之邪且古人相知在此今愚忌存之固有未予知者矧與相面者其能異於行路之人哉固無也有恨羇居時口未能言及此還罷又不相處雖素尚蓄積竟未得露一豪於方寸之地每一相見何嘗不嗛嗛於內若飲者實滿於腹思一吐而未果者存之謂予是言似乎哉以爲似則予不得不吐於存之矣先此二十年予方去兒童心將事四方志若學山者以一簣不止望嶔崟于上誓不以邱陵其心而盡乎中道也志且

未決適遭天譴重罹凶咎日月之下獨有形影存之以予此時宜如何心哉苟將盡餘息以鴻同大化或有論予者相曉以古道且曰若身未立於時若名未揚於人若且死獨不畏聖人之經戒俾立身揚名之意邪蹶然而恐震駭且久曰微夫子吾幾得罪於聖人矣噫聖人之言天戒也天戒何可違乎歷數歲自洙泗渡于淮達于江過洞庭三苗踰郴而南涉湞江浮滄溟抵羅浮始得師于壽春楊生楊生以傳書爲道者也始則三代聖王死而其道盡留於春秋春秋之道某以不下牀而求之求之必謀吾所傳不失其指每問一卷講一經說一傳疑周公孔子左邱明公羊高穀梁赤若迴環在座似假生之口以達其心也邇來數年精力刻竭希金口木舌將以卒其業雖未能無愧於古人然於聖人之道非不孜孜也既而曰以是爲鶩說之儒曷若爲行道之儒邪貯之於心有經實施之於事有古道猶不愈於堆案滿架矻矻於筆硯閒邪徒念既往者未及孔門之宮牆自謂與回牛相上下傳經意者家家

自以爲商偃執史筆者人人自以爲遷固此愚所以憤悱思欲以聖人之爲市南宜僚以解其紛以衡石輕重俾將來者知聖代有譙周焉此某所以著其心者元和初方下羅浮越梅嶺泛贛江浮彭蠡又抵於匡廬匡廬有隱士茅君腹笥古今史且能言其工拙贅蠹語經之文聖人之語歷歷如指掌予又從而明之者若出井置之於泰山之上其爲見非不弘矣長恨司馬子長謂挈諸聖賢者豈不然乎哉脫踐予長之言予之厄窮其身將淬磨其心亦天也是天有意我獨無恙何也夫然亦何必聲吾目然后國語則吾足然后兵法抵宮刑然后史記邪予是以自忘其愚聱故有三傳指要十五卷漢書右史十卷黃中通理三卷翼孟三卷隋監一卷三禪五革一卷每撰一書何嘗不覃精潛思綿絡指統或有鼓吹於大君之前曰眞良史矣且曰上古之人不能昭明矣某其如何有知予者相期不啻於今人存之信然乎哉此古人所以許一死以謝知己誠難事也如不難亦何爲必以古人期於今人待邪又

自史記班漢已來秉史筆者予盡知其人矣言東漢有若陳宗尹敏伏無忌邊韶崔寔馬日磾蔡邕盧植司馬彪華嶠范曄袁宏言國志有若衛覬繆襲應璩王沈傅玄茅曜薛瑩華覈陳壽言晉洛京史有若陸機束皙王詮詮子隱言江左史有若鄧粲孫盛王韶之檀道鸞何法盛臧榮緒言宋史有若何承天裴松之蘇寶生沈約裴子野言齊史有若江文通吳均言梁史有若周興嗣鮑行卿何之元劉璠言陳史有若顧野王傅宰陸瓊姚察察子思廉言十六國史有若崔鴻言魏史有若鄧淵崔浩浩弟覽高允張偉劉橫李彪邢巒溫子昇魏收言北齊史有若祖孝徵陸元規湯休之杜臺卿崔子發李德林林子百藥言後周史有若柳虯牛弘令狐德棻岑文本言隋書有若王師邵王冑顏師古孔穎達于志寧李延壽言皇家受命有若溫大雅魏鄭公房梁公長孫趙公許敬宗劉胥之楊仁卿顧胥牛鳳及劉子玄朱敬則徐堅吳兢次而修者亦近在耳目於戲自東觀至武德已來其間作者遺草有未行於時

及修撰未既者如聞並藏於史閣固非外學者可得究諸子雖無聞良史至於實錄品藻增損詳略亦各有新意豈無班馬之文質董史之遺直者邪葢有之矣我未之見也常欲以春秋條貫刪補穴闕掇拾眾美成一家之盡善有若採封菲者無以下體衣狐裘者無以羔袖言不多乎哉以爲多則存之視予力志何如耳昔阮嗣宗嗜酒當時以爲步兵校尉雖非其任貴且快意今予之嗜書有甚於嗣宗之嗜酒且虛其腹若行哺而實者存之宜如何處予哉傳不云乎心志既通名譽不聞其足下何遺邪此存之所宜動心也脫祿不及厚孤弱名不及善知友匡廬之下猶有田一成耕牛兩具僮僕爲相雜書萬卷亦足以養高頤神誠知非丈夫矣所立固不失谷口鄭子眞耳敢布諸足下其圖之某再拜

論史上蕭至忠書　劉子玄

僕幼聞詩禮長涉藝文至於史氏之言尤所耽悅尋夫左史右史是曰春秋尚書素王素臣斯稱微婉志晦兩京三國班謝陳習闕其聲六朝江左王陸干孫紀其厤劉石僭號方策委於和張宋齊膺籙惇史歸於蕭沈亦有汲冢古篆禹穴殘編孟堅所亡葛洪傳其雜記休文所缺謝綽裁其拾遺凡此諸家其流葢廣莫不賾彼泉藪尋其枝葉原始要終備知之矣若乃劉峻作傳自述長於論才范氏爲書盛言務其贊體斯又當仁不讓庶幾前哲者焉然（自幼聞至焉然一百七十三字從全唐文補入）僕自策名仕伍待罪朝列三爲史臣再入東觀竟不能勒成國典貽彼後來何哉靜言思之其不可有五故也何者古之國史皆出一家如魯漢之丘明子長晉齊之董狐南史咸能立言不朽藏諸名山未聞藉於眾功方云絕筆惟後漢東觀大集羣儒而著述無主條章靡立由是伯度譏其不實公理以爲可焚張蔡二子糾之於當代傅范兩家嗤之於後葉今史司取士有倍東京人自以爲荀袁家自稱爲政駿每欲書一事載一言皆閣筆相視含毫不斷故首白可期而汗青無日其不可一也前漢郡國計書先上太史副上丞相後漢公卿所撰始集公府乃上蘭

臺由是史官所修載事爲博爰自近古此道不行史臣編錄惟自詢採而左右二史闕注起居衣冠百家罕通行狀求風俗於州郡視聽匪詳訪沿革於臺閣簿籍難見雖使尼父再出猶目成於管窺況僕限以中才安能遂其博物其不可二也昔董狐之書法也以示於朝南史之書弑也執簡以往而近代史局皆通籍禁門幽居九重欲人不見尋其義者葢由杜彼顔面防諸請謁故也然今館中作者多士如林皆願長喙無聞齰舌儻有五始初成一字加貶言未絕口而朝野具知筆未䨇毫而搢紳咸見夫孫盛實錄取嫉權門王韶直書見讎貴族人之情也能無畏乎其不可三也古者刊定一史纂成一家體統各殊指歸咸別夫尙書之教以疏通知遠爲主春秋之義以懲惡勸善爲先史記則退處士而進姦雄漢書則抑忠臣而飾主闕斯並曩賢得失之例良史是非之準作者言之詳矣頃史官注記多取稟監修楊令公法春秋則云必須直辭宗尙書則曰宜多隱惡十羊九牧其意難行一國三公適從焉在其不可四也竊以史置監修雖無古式尋其名號可得而言夫言監者葢總領之義耳如創紀編年則年有斷限草傳敘事則事有豐約或可略而不略或應書而不書此刊削之務也屬辭比事勞逸宜均揮鉛奮槧勤惰須等某袠某篇付之此職某紀某傳歸之彼官此銓配之理也斯並宜明立科條審定區域儻人思自勉則書可立成今監之者旣不指授修之者又無遵奉用使爭學苟且務相推避坐變炎涼徒延歲月其不可五也凡此不可其流實多一言以蔽三隅自反而時談物議焉得笑僕編次無聞者哉比者伏見明公每汲汲於勸誘勤勤於課績或云墳籍事重努力用心或云歲序已淹何時輟手竊以綱維不舉而督課徒勤雖威以刺骨之刑勖以懸金之賞終不可得也論語曰陳力就列不能者止僕所以昔者布懷知己歷抵羣公屢辭載筆之官願罷記言之職者正爲此耳抑又有所未諭聊復一二言之比奉高命令隸名修史而其職非一如張尚書崔岑二吏部鄭太常等旣迫以吏

道不可拘之史任以僕曹務多閒勒令專知下筆夫以惟寂惟寞乃使記事記言苟如其例則柳常侍劉祕監徐禮部等並門可張羅府無堆案何事置之度外而使各無羈束乎必謂諸賢載削非其所長以僕鎗鎗佼佼故推爲首最就如斯理亦有其說何者僕少小從仕早躡通班當皇上初臨萬邦未親庶務而以守玆拙直不附釕囘遂使官若土牛棄同芻狗鑾輿西幸百寮畢從自維官曹務簡求以留後居臺常謂朝廷不知國家於我已矣豈謂一旦忽承恩旨州司臨門使者結轍既而驅馳入函關排千門謁天子引賈生於宣室雖歎其才召季布於河東反增其愧明公既位居端揆望重台衡飛沈屬其顧眄榮辱由其俛仰曾不上祈宸衷申之以寵光僉議搢紳縻我以好爵其相見也直云史筆闕書爲日已久石渠埽第思子爲勞今之仰追唯此而已抑明公足下獨不聞劉炫蜀王之說乎昔劉炫仕隋爲蜀王侍讀尚書牛宏嘗問之曰君王遇子其禮如何曰相期高於周孔見待下於奴僕宏不悟其言請聞其義炫曰吾王每有所疑必先見訪是相期高於周孔酒食左右皆饜而我餘瀝不霑是見待下於奴僕也僕亦竊不自揆輒敢方於鄙宗何者求史才則千里降追語官途則十年不進意者得非相期高於班馬見待下於兵卒乎又人之品藻貴識其性明公視僕於名利何如哉當其坐嘯洛城非隱非吏惟以守愚自得寧以充詘攖心但今者僶勉從事攣拘就役朝廷厚用其才竟不薄加其禮求諸隗始其義安施儻使士有濟雅若嚴君平清廉如段干木與僕易地而處亦將彈鋏告勞積薪爲恨況僕未能免俗能不帶芥於心者乎（自抑又至者乎六百四字從全唐文補入）當今朝號得人國稱多士蓬山之下良直差肩芸閣之中英奇接武僕既功虧刻鶴筆未絕麟徒殫太官之膳虛索長安之米乞以本職還其舊居多謝簡書請避賢路惟明公足下哀而許之

與陳叔達重借隋紀書　王績

仄承所撰隋紀緒寫咸畢前舍弟及家人往並有書借咸不見付

豈連城之珍侯楚文而乃進崩山之操待鍾期而後發應以左貂右蟬榮冠東省掌壺負璽望重南宮朝夕丹墀揖讓增價往來青瑣步頓生光豐屋華榱顧蓬蒿而徙倚鳴鍾列鼎想藜藿而移交不與驕期遂忘曩時之好耳僕遭逢明聖棲遲邱壑幸悅堯舜之風得全箕潁之操雖心期所託吾道遂存而出處離異儀形難接所以願憑鱗羽宛若承顏望觀述作欣然得意足下裁成國典褒貶人倫欲使明鏡一時覆車千祀故當貽諸好事豈擬唯傳子孫方復固其緘縢嚴其扃鐍天下之望豈如是乎僕亡兄芮城嘗典著局大業之末欲撰隋書俄逢喪亂未及終畢僕竊不自揆思卒餘功收撮漂零尚存數帙兆自開皇之始迄于大業之初咸亡兄點竄之遺跡也大業之後言事闕然僕雖欲繼成無可憑採以此尤思見足下之所作也還使請致無再三王績白

答王績書　陳叔達

賢弟千牛及家人典琴至頻辱芳翰索下官所撰隋紀雖承厚眷

懣然自失誠恐持郄克之質入邯鄲之墟奏曹鄶之音歷莖英之肆所以遲迴簡牘伏念旬時輒揆短懷仰達前命今奉來札誨責逾深既以驕鄙相訶又以緘縢致誚欲加之罪其無辭乎正當要使必致耳了不知賢兄芮城有隋書之作足下既圖繼就須有考尋謹依高旨繕錄馳送然僕雖不佞頗聞君子之論矣嘗以謂爲國以禮君舉必書故左史記言右史記事言者申立德立功之意也事者敘立德立功之迹也所以明勸沮所以別是非自非可以關社稷之安危涉天人之興廢古之君子何嘗取諸褒貶之作有由然也自微言泯絕大義乖墜三代之教亂於甲兵六經之術滅於煨燼君人者尙空名以夸六合史官者貴虛飾以佞一時下及馬遷爰逮班固咸有述作庶幾聖賢其於斟酌典謨表章微絕曾不能觸其藩離者也魏晉之際夫何足云中原板蕩史道息矣然國於天地與有立焉苟能宅郊禋建社稷樹師長撫黎元雖復五裂山河三分躔次規模典式豈徒然哉是賢兄文中子知其若此

也恐後之筆削昭於繁碎宏綱正典暗而不宣乃興元經以定眞統蓋獲麟之事夫何足以知之叔達亡國之餘幸賴前烈有隋之末濫尸貴郡因需善誘頗識大方至若梁魏周齊之閒耳目者舊所接風流人物名實可知衣冠道義謳謠尙在頃者皇建其極君子道亨憑藉時來妄叨近侍廟堂多暇典墳自娛覽後魏周齊之紀傳考下官之所聞見曾不喜怒隨意曲直任情敘致浮雜褒貶阿黨述時望者以爵祿爲榮談陳國紀者以狙譎爲能事至於密會王道潛濟生人旣昧於知音咸寢而不記貪敘寫其祖父冠冕肩嗣婚姻以爲譜牒之證耳豈不痛哉風俗之壞一至於此雖人綸王化備列元經而愜談碩議或不可捨是以辟記室及賢兄芮城常悲魏周之史各著春秋近更研覽眞艮史焉古人云過高唐者學王豹之謳遊睢渙者學藻繪之功竊惟隋氏之王三十六年成敗否泰目所親覩誠懼後之作者復習向時之弊焉故聊因掌壼之暇著隋紀二十卷騁辭流離則媿於心矣書事簡要則嘗有志焉孔子曰我欲載之空言不如附之於行事儻近是乎謹侍疇昔以塵淸覽當積兼金以購點竄耳又恐足下紀傳之作須備異聞今更附王胄大業起居注往

答韓愈論史官書　柳宗元

正月二十一日宗元頓首十八丈退之侍者前獲書言史事云具與劉秀才書及今乃見書藁私心甚不喜與退之往年言史事甚大謬若書中言退之不宜一日在館下安有探宰相意以爲苟以史榮一韓退之邪若果爾退之豈宜虛受宰相榮己而冒居館下近密地食奉祿役使掌故利紙筆爲私書取以供子弟費古之志於道者不宜若是且退之以爲紀錄者有刑禍避不肯就尤非也史以名爲褒貶猶且恐懼不敢爲設使退之爲御史中丞大夫其褒貶成敗人愈益顯其宜恐懼尤大也則又將揚揚入臺府美食安坐行呼唱於朝廷而已邪在御史猶爾設使退之爲宰相生殺出入升黜天下士其敵益衆則又將揚揚入政事堂美食安坐行

呼唱於內廷外衢而已邪又何以異不爲史而榮其號利其祿者也又言不有人禍則有天刑若以罪夫前古之爲史者然亦甚惑凡居其位思直其道道苟直雖死不可迴也如迴之莫若亟去其位孔子之困於魯衞陳宋蔡齊楚者其時暗諸侯不能以也其不遇而死不以作春秋故也當其時雖不作春秋孔子猶不遇而死也若周公史佚雖紀言書事猶遇且顯也又不得以春秋爲孔子累范曄悖亂雖不爲史其族亦赤司馬遷觸天子喜怒班固不檢下崔浩沽其直以鬬暴虜皆非中道左邱明以疾盲出於不幸子夏不爲史亦盲不可以是爲戒其餘皆不出此是退之宜守中道不忘其直無以他事自恐退之之恐唯在不直不得中道刑禍非所恐也凡言二百年文武事多有誠如此者今退之曰我一人也何能明則同職者又所云若是後來繼今者又所云若是人人皆曰我一人則卒誰能紀傳之邪如退之但以所聞知孜孜不敢怠則同職者後來繼今者亦各以所聞知孜孜不敢怠則庶幾不墜

使卒有明也不然徒信人口語每每異辭日以滋久則所云磊磊軒天地者決不沈沒且亂雜無可考非有志者所忍恣也果有志豈當待人督責迫蹙然後爲官守邪又凡鬼神事眇茫荒惑無可準明者所不道退之之智而猶懼於此今學如退之辭如退之好言論如退之慷慨自謂正直行行焉如退之猶所云若是則唐之史述其卒無可託乎明天子賢宰相得史才如此而又不果甚可痛哉退之宜更思可爲速爲果卒以爲恐懼不敢則一日可引去又何以云行且謀也今當爲而不爲又誘館中他人及後生者此大惑已不勉己而欲勉人難矣哉

答皇甫湜書　李翺

辱書覽所寄文章辭高理直歡悅無量有足發予者自別足下來僕口不曾言文非不好也言無所益衆亦未信祇足以招謗忤物於道無明故不言也僕到越中得一官三年矣材能甚薄澤不被物月費官錢自度終無補益累求罷去尚未得以爲愧僕性不解

詔佞復不能曲事權貴以故不得齒于士林而足下亦抱屈在外故略有所說凡古賢聖得位於時道行天下皆不著書以其事業存於制度足以自見故也其著書者蓋道德充積阨摧於時身卑處下澤不能潤物恥灰泯而燼滅又無聖人爲之發明故假空言是非一代以傳無窮而自光耀于後故或往往有著書者僕近寫得唐書史官才薄言辭鄙淺不足以發揚高祖太宗列聖明德使後之觀者文采不及周漢之書僕以爲西漢十一帝高祖起布衣定天下豁達大度東漢所不及其餘惟文宣二帝爲優自惠景巳下亦不皆明於東漢明章兩帝而前漢事迹灼然傳在人口者以司馬遷班固敘述高簡之工故學者悅而習焉其讀之詳也足下讀范曄漢書陳壽三國志王隱晉書生熟何如左邱明司馬遷班固書之溫習哉故溫習者事跡彰而罕讀者事跡晦讀之疏數在辭之高下理必然也唐有天下聖明繼於周漢而史官敘事曾不如范曄陳壽所爲況足擬望左邱明司馬遷班固之文哉僕所以爲恥當兹得于時者雖負作者之材其道既能被物則不肯著書矣僕竊不自度無位於朝幸有餘暇而辭句足以稱讚明盛紀一代功臣賢士行跡灼然可傳於後代自以爲能不滅者不敢爲讓故欲筆削國史成不刋之書用仲尼褒貶之心取天下公是公非以爲本羣黨之所謂是者僕未必以爲是羣黨之所謂非者僕未必以爲非使僕書成而傳則有富貴而功德不著者未必聲明於後貧賤而道德全者未必不烜赫於無窮韓退之所謂誅姦諛於既死發潛德之幽光是翺心也僕文彩雖不足以希左邱明司馬子長足下視僕敘高愍女楊烈婦豈盡出班孟堅蔡伯喈之下邪仲尼有言不有博弈者乎爲之猶賢乎已僕所爲雖無益於人比之博奕猶爲勝也足下以爲何如哉古之賢聖當仁不讓於師仲尼則曰文王既沒文不在兹乎又曰予欲無言天何言哉孟軻則曰予之不遇魯侯天也臧氏之子安能使予不遇哉司馬遷則曰成一家之言藏諸名山以俟後聖人君子僕之不讓亦非大過也

幸無怪

與韓愈致段太尉逸事書　柳宗元

退之館下前有書進退之力陳史事奉答誠中吾病若疑不得實未即籍者誠是也退之平生不以不信見遇竊自冠好遊邊上問故老卒吏得段太尉事最詳今所趨走州刺史崔公時賜言事又具得太尉實跡參校備具太尉大節古固無有然人以爲偶一奮遂名無窮今大不然太尉自有難在軍中其處心未嘗虧仄其莅事無一不可紀會在下名未達以故不聞非直以一時取笏爲諒也太史遷死退之復以史道在職宜不苟過時日昔與退之期爲史志甚壯今孤囚廢錮連遭瘴癘羸頓朝夕就死無能爲也第不能竟其業若太尉者宜使勿墜太史遷言荆軻徵夏無且言大將軍徵蘇建言留侯徵畫容貌今孤囚賤辱雖不及無且建等然比畫工傳容貌尚差勝春秋傳所謂傳信傳著雖孔子亦猶是也竊自以爲信且著其逸事有狀不宜宗元頓首

與史館韓愈郎中書　元稹

郎中退之足下某前與襄州文學掾甄逢遊善逢故刑部員外郎濟之子濟天寶中隱于衛之青巖山採訪使苗公等五人皆以狀薦凡十徵不起末以左拾遺就拜之適祿山朝奏京城懇於上前求爲賓介玄宗可其奏祿山還至衛遣太守郭遵意詣山中致命輟行信宿以俟之甄生懼其難免俛首從事至天寶十二載祿山反狀潛兆乃僞瘖其音復隱青巖踰年而祿山叛即日遣僞節度使蔡希德緘刀逼召且曰或不可彊斬首來徇既而甄生禁閉無言延頸承刃氣和色定若甘心然希德義而舍之祿山亦終不能致慶緒繼逆虜而囚之東都安國觀代宗復洛甄生卧匡牀詣元帥府至則號撲自治代宗爲之動色遂命傳置長安肅宗高其行因授館於三司治所令從賊官囚慙拜之受污者莫不俯伏仰歎愧恥不即死於其地且夫辨所從於居易之時堅直操於利仁之世而猶徧淺巽耎者之所不爲蓋拂人之心難而害己之避深也況

乎天下亂矣王澤竭矣死忠者不必顯從亂者不必誅而能脊脊本朝甘心白刃難矣哉是以治平則爲公爲卿爲鸞世變則爲蛇爲豕爲獍爲鴞者十常八九焉若甄生冕弁不加於其身祿食不進於其口於天寶末蓋靑巖一男子耳及亂則延頸承刃分死不回不以不顯而廢忠不以不誅而從亂參合古今之士蓋萬一焉某嘗讀注記闕而未書謹備所聞盍欲執事者編此義烈以永永於來世耳子逢始生之歲顏太保崔太傅皆爲歌詩以美賢者之有後且序甄生之本末及逢旣長耕先人舊田於襄之宜城讀書爲文不詣州里歲饉則力穡節用以給足於親族歲穰則施餘於其鄰里鄉黨之不能自持者前後斥家財排患難於朋友者數四由是以義聞襄之守狀爲文學始就羈於吏職某聞風旣久因與之遊逢每寃其父之名不在于史將欲抱所寃詣京師告訴於司史氏蓋行有日矣以愚料之甄生僕短馬疲言約行孤將不爲驕闇之所排則權力者疑誕以臨之固無自而入矣因曉甄生以無自入之勢且告以執其事者辱與某游願得所寃之狀告甄生厚相信待由是輙行旣而自思淬賤之中猶願貢所聞於執事得非愚且僭也然而誚笑之暇幸垂察焉不宜某再拜

答元稹侍御書　韓愈

九月五日愈頓首微之足下前歲辱書論甄逢父濟識安祿山必反卽詐爲瘖棄去祿山反有名號又逼致之濟死執不起卒不汚祿山父子事又論逢知讀書刻身立行勤己取足不干州縣斥其餘以救人之急足下繇是與之交欲令逢父子名跡存諸史氏足下以抗直喜立事斥不得立朝失所不自悔喜事益堅微之乎子眞安而樂之者謹詳足下所論載校之史法若濟者固當得附書今逢又能行身幸於方州大臣以標白其先人事載之天下耳目徹之天子追爵其父第四品赫然驚人逢與其父俱當得書矣濟逢父子自吾人發春秋美君子樂道人之善夫苟能樂道人之善則天下皆去惡爲善善人得其所其功實大足下與濟父子俱宜

牽聯得書足下勉逢令終始其躬而足下年尚彊嗣德有繼將大書特書屢書不一書而已也愈既承命又執筆以俟愈再拜

文粹卷第八十二

文粹卷弟八十三

吳興　姚鉉　纂

書五 總一十一首

與權德輿書　柳冕

冕白昔仲弓問為政子曰先有司有司之政在於舉士是以三代尚德尊其教化故其人賢西漢尚儒明其理亂故其人智後漢尚章句師其傳習故其人守名節魏晉尚姓美其氏族故其人矜伐隋氏尚吏道貴其官位故其人寡廉耻唐承隋法不改其理此天所以待聖主正之何者進士以詩賦取人不先理道明經以墨義考試不本儒意選人以書判殿最不尊人物故吏道之理天下天下奔競而無廉耻者以教之者末也閤下豈不謂然乎自頃有司

試明經奏請每經問義十道五道全寫疏五道全寫注其有明聖人之道盡六經之意而不能誦疏與注一切棄之恐清識之士無由而進腐生豎子比肩登第不亦失乎閤下因從容啟明主稍革其弊奏爲二等其有明六經之義合先王之道者以爲上等其精於誦注者與精於誦疏者以爲次等不登此二科者以爲下等不亦善乎且明六經之義合先王之道君子之儒教之本也明六經之注與六經之疏小人之儒教之末也今者先章句之學後君子之儒以求清識之士不亦難乎是以天下至大仕人至衆而人物殄瘁廉耻不興者亦在取士之道未盡其術也誠能革其弊尊其本舉君子之儒先於履行者俾之入仕即清識君子也俾之立朝即王公大人也一年得一二十人十年得一二百人三十年得五六百人即海內人物不已盛乎昔唐虞之盛也十六族而已周之興也十亂而已漢之王也三傑而已太宗之聖也十八學士而已豈多乎哉今海內人物蹈然思理推而廣之以風天下即天下之士靡然而至矣是則由於有司以化天下天下之士得無廉耻乎冕頓首

答柳福州書　權德輿

來問見愛殷懃甚厚疏以先師對仲弓先有司之說又曰由於有司以風天下誠哉大君子之言理道也今之取士在於禮部吏部吏部按資格以擬官奏郎官以考判失權衡重輕之本無乃甚乎至於禮部求才猶似爲仁由已然亦沿於時風豈能自振嘗讀劉秩祭酒上疏云太學設官職在造士士不知方時無賢才臣之罪也每讀至此心常慕之當時置於國庠似在散地而方以之賢內訟慨然上奏此君子之心也君子之言也況以蒙劣辱當儀曹爲時求人豈敢容易然再歲計偕多有親故進士初牓有之帖落有之策落有之及第亦有之不以私害公不以名廢實不敢自愛不訪於人兩漢設科本於射策故公孫弘董仲舒之倫痛言理道近者祖習綺靡過於雕蟲俗謂之甲賦律詩儷偶對屬況十數年

開至大官右職教化所繫其若是乎是以二年已來參考對策不訪名物不徵隱奧求通理而已求辨惑而已習常而力不足者則不能迴復於此故或得其人庶他時有通識懿文可以持重不遷者而不盡在於齷齪科第也明經問義有幸中所記者則書不停綴令釋通其意則牆面木偶遂列上第未如之何頃者參伍其問令書釋意義則於疏注之中苟删撮旨要有數句而通者昧其理而未盡有數紙而黜者雖未盡善庶稍得之至於來問明六經之義合先王之道而不在於注疏者雖令學究一經之科每歲一人猶慮其不能至也且明經者仕進之多數也注疏者猶可以質驗也不者儻有司率情下上其手既失其末又不得其本則蕩然矣無乃然乎古人云勉彊行道則德日起而大有功中庸有困而行之勉彊而行之鄙雖不敏敢忘勉之之道邪大凡常情爲近習所勝役役於聞見汲汲於進取苟避患安時俾躬處休以至老死自爲得計豈復有揣摩古今風俗整齊教化根本原始要終長轡遠馭如閣下吐論之若是者邪此鄙人所以喟然三復而不知其已也來問又言三代兩漢至近古所尚不同豈古化夐遠之不可復邪復因緣漸靡而操執者不之思邪鄙人頑固謹俟餘論因自發舒慙怍無量德輿再拜

上宣州高大夫書　杜牧

某頓首再拜自去歲前五年執事者上言云科第之選宜與寒士凡爲子弟議不可進熟於上耳固於上心上持下執堅如金石爲子弟者魚潛鼠遁無入仕路某竊惑之科第之設聖祖神宗所以選賢才也豈計子弟與寒士也古之急於士者取盜取讎取於夷狄豈計其所由來况國家設取士之科而使子弟不得由之若以科第之徒浮華輕薄不可任以爲治則國朝自房梁公已降有大功立大節率多科第人也若以子弟生於膏粱不知理道不可與美名不令得美仕則自堯已降聖人賢人率多子弟凡此數者進退取捨無所依據某所以憤懣而不曉也堯天子子也禹公子也

文王諸侯孫與子也武王文王子也周公文王之子武王之弟也夫子天子裔孫宋公六代大夫子也春秋時列國有其社稷各數百年其良臣多出公族及卿大夫子孫也魯之季友季文子叔孫穆子叔孫昭子孟獻子皆出於三桓也臧文仲武仲出於公子彄柳下惠出於公子無駭諸侯之子稱公子公子之子稱公孫公孫之子稱公族以王父字爲氏展禽是也宋之良臣多出於戴桓武莊之族也舉其尤者華元子罕向戌是也衛之良臣亦公族及卿大夫之裔也舉其尤者公子荊公叔發公子朝皆公族也子鮮公子也史狗史魚甯武子卿大夫之裔也齊之晏嬰晏桓子子也曹之子臧公子也吳之季札王子也鄭之良臣皆公孫公族也舉其尤者子封子良子罕子展子皮子產子張子太叔是也楚之良臣子囊子西子期皆王子也子庚王孫也其卿大夫之裔鬬氏生令尹子文後有鬬辛鬬巢鬬懷昭王返國皆有大功蔿氏生蔿賈孫叔敖蔿艾也薳啟彊薳子憑薳掩薳罷屈氏生屈蕩屈到屈建子木六國時有昭奚恤公族也屈原諸屈後也皆其祖先於武王文王時基楚國爲霸者用其子孫其社稷垂九百餘年至於晉國最爲彊其賢臣尤多有趙氏魏氏韓氏狐氏中行氏范氏荀氏羊舌氏欒氏郤氏祁氏其先皆武公獻公文公勤勞臣也用其子弟召諸侯而盟之者僅三百年在六國齊之孟嘗趙之平原魏之信陵皆王子王孫也齊復有司馬穰苴亦王族也其在漢魏已下至於國朝公族之子弟卿大夫之冑裔書於史氏爲偉人者不可勝數不可殫論論聖賢才能於子弟中復何如也言科第浮華輕薄不可任用則國朝房梁公玄齡進士也相太宗凡二十一年爲唐宗臣比之伊呂周召者郝公處俊亦進士也爲宰相時高宗欲遜位與武后處俊曰天下者高祖太宗之天下非陛下之有但可傳之子孫不可私以與后高宗因止來濟上官儀李玄義皆進士也後爲宰相濟助長孫太尉褚河南共摧武后者後突厥入塞免冑戰死儀草廢武后詔玄義助處俊言不可以位與武后婁侍中師德亦進士也吐蕃彊盛爲監察御史以紅抹額應猛士詔

躬衣皮袴率士屯田積穀八百萬石二十四年西征兵不乏食薦
狄公爲相取中宗於房陵立爲太子漢陽王張公柬之亦進士也
年八十爲相敺致四王手提社稷上還中宗郭代公元振亦進士
也鎮涼州僅十五年北卻突厥西走吐蕃制地一萬里握兵三十
萬武氏惕息不敢移唐社稷魏公知古亦進士也爲宰相發太平
公主謀以佐玄宗及卒也宋開府哭之曰叔向古之遺直子產古
之遺愛兼而有者其魏公乎姚梁公元崇登第下筆成章舉首佐
玄宗起中興業凡三十年天下幾無一人之獄宋開府璟亦進士
也與姚唱和致開元太平者劉幽求登制策科與玄宗徒步誅韋
氏立睿宗者蘇氏父子皆進士也大許公爲相於武后朝酷吏中
不失其正於中宗朝誅反賊鄭普思於韋后黨中小許公佐玄宗
朝號爲蘇宋張燕公說登制策科排張易之兄弟贊睿宗請玄宗
監國竟誅太平公主招置文學士開內學館玄宗好書尙古封泰
山祀后土因燕公也張曲江九齡亦進士也排李林甫牛仙客罵

張守珪不斬安祿山謫老南服年未七十張巡亦進士也凡三入
判等以兵九千守睢陽城凡周歲拒賊十三萬兵(出天寶雜記)使賊不
能東進尺寸以全江淮元和中宰相河東司空公兼中書令裴公
皆進士也裴公仍再得宏辭制策科當貞元時河北背叛齊蔡亦
叛階此蜀亦叛吳亦叛他未叛者皆高下其目孰視朝廷希嚮彊
弱而施其所爲司空公始相憲宗廢權倖之機牙令不得張收斂
百職歸於有司命節度使出於朝廷不由兵士(始自撫州除袁相爲滑州滑州凡三
月無帥三軍無事憲宗始信之自此不用貞元故事以行軍副使大將軍爲節度使也)拔取沈滯各還其官(開州取唐舍人爲職方郎中知制誥饒州取李趙公爲考功郎中
知制誥在貞元中皆十餘年遷逐其他似謫者亦皆當敘用也)
然後西取蜀東取吳天下仰首始見白日裴公撫安魏博使田氏
盡歸六州元和中翦蔡劇賊於洛師脇下招來常山質其二子以
累其心取十三城使不得與齊交手爲寇因誅師道河南盡平當
是時天下幾至於太平凡此十九公皆國家與之存亡安危治亂
者也不知科第之選復何如也至於智效一官忠立一節德行文

學不可悉數董生云春秋之義變古則譏之傅說命高宗曰監于先王成憲其以永無愆故殷道復興鴻鴈美周宣王能復先王之道西漢魏相佐漢宣帝爲中興但能奉行漢家故事姚梁佐玄宗亦以務舉貞觀之法制耳自古及今未有背本棄古而能致治者昨獲覽三郎秀才新文凡十篇數日在手讀之不倦其旨意所尚皆本仁義而歸忠信加以辭采遒茂皎無塵土況有誠明長厚之譽於千人中儻使前五六年得進士第今可以出入諫官御史助明天子爲治矣古人云三月不仕則相弔安有凡五六年來選取進士施設網罟如防盜賊言子弟者噎啞抑鬱思一解布衣與下士齒厥路無由於今古未前聞也某因覽三郎文章不覺發憤略言大槩干觸尊重無任惶懼某再拜

上禮部權侍郎書　獨孤郁

貞元十三年八月日獨孤郁謹上書于舍人三兄閤下郁以世舊遂獲謁見敘故大賢之遇郁也亦不以常交言之眷意甚露郁瑣瑣鬱堙二年無聞摧穨折羽而不喜者非失意之謂非尤人之謂蓋將因事自罪而不喜也借如豫章生於擁腫小木之中樵蘇見之亦以嗟矣一有不嗟則必自與擁腫者亦不多遠也珠璣雜於礫石之中童子弄之亦以驚矣一有不驚則必自與礫石者亦不多遠也鏌鋣臥於鉛鈍之中下工覩之固亦知矣一有不知則必自與鉛鈍者亦不多遠也毛嬙後於宿瘤而行有目者覩之固卽分矣一有不分則必自與宿瘤者亦不多遠也苟與乎擁腫礫石鉛鈍宿瘤輩果殊異則不能移凡眼所擇況逃乎良工巧治有識者之目哉今禮部侍郎之目固亦國之良工巧治有識者之目也於中再擇再不中是其已爲擁腫礫石鉛鈍宿瘤矣何止與斯不遠哉此所以因事自罪而不喜也或諭之曰今子之道尙光子之所以不振者晦遏也子之道豐蔀也子且有崒天之材而隱植之有照乘之珍而密櫝之有切玉之利而謹襓之有傾都之豔而深帷之雖使離婁左執光而右拭眥迫而索之固亦不能知矣子何

不移植露光披鋒示貌使識者覩而駭之彼之所誨固亦郁所不能爲已必不材也不寶也不利也不姝也且徧過於有識者之目是自揚其短也已必材也必寶也必利也必姝也雖小示其光鋒榦貌於一人驚我亦已多矣所不驚者是于四事果不足異於族凡也郁病直拙獨大賢於郁分殊尙不能以亟況悠悠者歟郁常行乎時輩之間多酌其言語善者鄙者自減盈消息其旨稍有可驚不敢不於許言者言之今之後學者或歎曰吁後來惡乎所歸哉此且非宜長者所當聞也亦非宜長者所不當聞也今朝廷先達病在不能公也或能公而不能爲力也覽其文則贊美稱嗟無不至也其閒善惡輕重進退則心以別矣此其所以爲不能公也鮮有知其必善而風鼓之不啻若自其口出此其所以爲能私而能爲力也致使追追之倫其下才者亦曰今夫在位者其無公歟其無心歟有一善未嘗肯稱也意曰非我事也又慮與之談者不與我符契也是使諸子竊竊然自以無聞爲不辱遂相與擇捷趨邪紛

屯於主司之跡親者苟能致譽則不詰其所以致譽者之賢不肖而曹趨之矣此實今之躁進苟得之風也在朝廷大賢主而名之驅而正之於其善者扶之持之有善而未具者決之導之使四方學士知嚮方焉何如其曰非我事也若使一人曰非我事也十人曰非我事也舉朝廷皆曰非我事也苟非我事則無所不非我事無所不非我事則天地之閒無乃已寂寥乎昔孔子飭詩書禮樂以化齊弟子而至天下使孔子亦曰非我事也則今者安盡聞夫七十子之賢詩書禮樂之盛七十子亦曰非我事也又孰爲播孔子之聖如此其大乎今文亦如是朝廷先達亦如是後之達者亦如是若不相播則人文禮義知己復往之道不幾乎息矣郁不肖辱承大賢之心深矣非又敢以假喻自薦也意欲以大賢擇眾賢如七十子之徒亦方孔子於大賢也何如

答獨孤秀才書　權德輿

損四日書問兼示新文閎博峻異有立言致遠之旨其於惠愛纖

悉重厚甚善甚善以吾子才志與年三者皆富以嘉聲自振若建瓴決水大治良工必有不期至而至者況以日新又日新之盛哉夫豫章珠璣鏌鎁毛嬙終不慮隱之櫝之蟯之帷之之爲患而爲擁腫礫石鈆鈍宿瘤之排蔽但發有疾徐耳來問云一人驚之亦已多矣豈與族凡校邪此誠得之又云先達病不能公或公而病其無力今夫滔滔者或辨之不至而苟善待之及揚聲延譽則鉗口結舌大凡舉世之病也如鄙夫者直力不足耳亦懼招俫奔走爲津爲歧至有竊所愛者則寡矣又奚能廢是也從古未達者之望達者何嘗不如是邪先師七十子所擬豈敢當也三復蘩然無言喻懷其他慕重續俟會話德輿頓首

與人論諫書　杜牧

某疏愚怠墮不識機括獨好讀書讀之多矣每見君臣治亂之間興亡諫諍之道遐想其人舐筆和墨則冀人君一悟而至于治平不悟則烹身滅族唯此二者不思中道自秦漢已來凡千百輩不可悉數然怒諫而激亂生禍者累累皆是納諫而悔過行道者不能百一何者皆以辭語迂險指射醜惡致使然也夫迂險之言近於誕妄指射醜惡足以激怒夫以誕妄之說激怒之辭以卑淩尊以下干上是以諫殺人者殺人愈多諫畋獵者畋獵愈甚諫治宮室者宮室愈崇諫任小人者小人愈寵觀其旨意且欲與諫者一鬬是非一決怒氣耳不論其他是以每於本事之上尤增飾之今有兩人道未相信甲謂乙曰汝好食某物愼勿食果更食之必死乙必曰我食之久矣汝謂我死必倍食之甲若謂乙曰汝好食某物第一少食苟多食必生病乙必因而謝之減食何者迂險之言則欲反之循常之說則必信之此乃常人之情世多然也是以因諫而生亂者累累皆是也漢成帝欲御樓船過渭水御史大夫辥廣德諫曰宜從橋陛下不聽臣自刎以血污車輪陛下不廟矣（不得入廟祠也）上不說張猛曰臣聞主聖臣直乘船危就橋安聖主不乘危御史大夫言可聽上曰曉人不當如是邪（謂諫諍之言當如猛之詳諳）乃從橋

近者寶麻中敬宗皇帝欲幸驪山時諫者至多上意不決拾遺張權輿伏紫宸殿下叩頭諫曰昔周幽王幸驪山爲犬戎所殺秦始皇葬驪山國亡玄宗皇帝宫驪山而祿山亂先皇帝幸驪山而享年不長帝曰驪山若此之凶邪我宜一往以驗彼言後數日自驪山迴語親侍曰叩頭者之言安足信哉漢文帝亦謂張釋之曰卑之無甚高論令可行也今人平居無事友朋骨肉切磋規誨之間尚宜旁引曲釋亹亹繹繹使其樂去其不善而樂行其善況於君臣尊卑之間欲因激切之言而望道行事治者乎故禮稱五諫而直諫爲下前數月見報上披閣下諫疏錫以幣帛僻左且遠莫知其故近於遊客處一睹閣下諫草明白辯婉出入有據吾君聖明宜爲動心數日在手味之不足且抃且喜且慰三者交并不能自止吾君聞諫既且行之仍復寵錫誘能諫者斯乃堯舜禹湯文武之心也聞於遠地宜爲吾君抃也閣下以忠孝文章立於朝廷勇於諫而且深於其道果能輔吾君而光世德某承閣下之厚愛冀

於異時資閣下之知以進尺寸能不爲閣下之喜復自喜也吾君今日披一疏而行之明日聞一言而用之賢才忠良之士森列朝廷是必奮起志慮各盡所懷則文祖武宗之業窮天盡地日出月入皆可埽灑以復厥初某縱不得效用但於一官一局筐篋簿書之閒活妻子而老身命焉作爲歌詩稱道仁聖天子之所爲治則爲有餘能不自慰故獲閣下之一疏抃喜慰三者交并眞不虛也宜如此也無因面讚其事書紙言誠不覺繁多某再拜

與李諫議行方書　孫樵

樵嘗爲日蝕書以爲國家設諫官期換君心之非不以一咈其言而怠於諫即繼以死非其職邪執事居其官亦嘗有意於此乎開元之閒豈特諫官而後言邪苟立天子廷者皆得開口奮舌爭於上前故自貞觀已還開元之政最爲脩明及林甫舞智以固權張詐以聾上於是束羣僚之口縛諫官之舌且以法中敢言者由是林甫之惡熾而勿復聞祿山之逆祕而勿復知天寶之政由此而

荒矣今者下無林甫遏諫之權上有開元虛己之勞如此則敘立明庭者皆得道上是非不顧時忌矧執事官曰諫議哉執事卒不能言避其官而逃其祿可也能絶秩優而位崇者[illegible]邪今年三月上嘗欲營治國門執事尚諫罷之今者詔營廢寺以復羣髡三年之閒斤斧之聲不絶度其經費豈特國門之廣乎稽其所務豈特國門之急乎何執事在國門則知諫在佛寺則緘默勇其細而怯其大豈諫議大夫職邪樵以為大蠹生民者不過羣髡武皇帝發憤除之冀活疲甿今天下之民喘未及息國家復欲興既除之髡以重困之將何以致民於蕃富乎樵不知時態竊所憤勇故作奏書一通以明羣髡大蠹之由生民重困之源無路上聞輒以寓獻執事儻以樵書為不狂試入為上言其略

答孟郊論仕進書　　獨孤郁

某還白天下病不言久矣吾子猥貺嘉言以篤鄙人之志是勖天下之心也幸何獨乎鄙人也利何獨乎是文邪夫言豈一端而已

矣知惡而不言是使天下之為惡者不思乎其懼也知善而不言是使天下之為善者不勸其慕也此二者天下之達道也僕嘗論之安敢不爭斯語直以陋蒙擢穎吾子之所聞見雖欲激昂以是非天下其誰一從僕之所云邪吾子知僕將宦遊訪僕曰是役也為身之役歟為人之役歟意甚善古人曰仕非為貧也又曰君子之仕行其義也僕雖不肖竊獨以衣服飲食犬馬聲色屋室使僕之屑屑歟僕將沈棄蹇連乎則撫循吾之軀何為也其將奮飛騰淩乎則君之建官行封豈私吾飢而寒也又曰親戚處乎大位力主人也足下之所謂親戚者曷若僕之有身邪足下所待僕者竊以曲私從義乎天下之君子固當有以自力也粤其果有茂異僕幸側聞其風曷敢不踊躍話道于彼不識況親戚之無開乎苟不能藉此第僕能富貴之且猶莫許而況又妄於他人邪又曰不待位而言之大道之言也信哉古人有庶人謗於道商旅議於市芻蕘者得進其狂妄焉足下念僕孱性而欲輔僕愚心其至公於天下

是直諒多聞之益也某則何幸其將責僕以必聞以至公之道爲市賈於天下也某何人哉昔張安世爲大司馬車騎將軍錄尚書事嘗有所薦其人來謝安世大恨以舉賢進能豈有私邪謝絕之有郎功高不調而自言安世應曰君之功高明主所知人臣執事何短長而自言乎絕不許已而郎遷幕府長史郎辭去之官安世問以過失長史曰將爲明主股肱而士無所進論者以爲譏安世曰明主在上賢不肖較然臣下自修而已何知士而薦之其匿名跡遠權勢如此彼推揚賢哲乃公卿大夫四岳十二牧之職也而富平陰用陽不敢當如僕瑑瑑方困柰何以上官他人之任反以許乎人哉東野用心冀有以相照幸無以僭越之道深望於鄙人也某頓首

與鄭駙馬書　張說

晚尋莊周書以天地爲國道德爲身老室之戶牖孔門之根閫足可反覆孝慈胎育仁義而晉朝賢士乃祖尙浮虛弛廢禮樂其所

遺失將詣眞宗不愈遠也老稱歸根曰靜復命知常復命近於無有知常其有知見邪斯故反照爾孔云窮神知化德之盛者神不可窮而窮之是神合於我化不可知而知之是化爲我用唯此二義繄莊生亦未始盡言焉非滎陽之深於道者孰爲輕導茲意也

與濟法師書　白居易

月日弟子太原白居易白濟上人侍者昨者頂謁時不以愚蒙言及佛法或未了者許重討論今經典閒未諭者其義有二欲面問答恐彼此卒卒語言不盡故粗形於文字願詳覽之敬佇報章以開未悟所望所望佛以無上大慧觀一切衆生知其根性大小不等而以方便智說方便法故爲闡提說十善法爲小乘說四諦法爲中乘說十二因緣法爲大乘說六波羅密法皆對病根投以良藥此蓋方便教中不易之典也何者若爲小乘人說大乘法心則狂亂狐疑不信所謂無以大海內於牛跡也若爲大乘人說小乘法是以穢食置於寶器所謂彼自無創勿傷之也故維摩經總其

義云爲大醫王應病與藥又首楞嚴三昧經云不先思量而說何法隨其所應而爲說法正是此義耳猶恐說法者不隨人之根性也故又法華經戒云若但讚佛乘衆生沒在罪苦不能信是法破法不信故如此非獨慮說者不能救病亦懼聞者不信沒入罪苦也則佛之付囑豈不丁寧邪何則法王經云若定根基爲小乘人說小乘法爲大乘人說大乘法爲闡提人說闡提法是斷佛性是滅佛身是說法人當歷百千萬劫墮諸地獄縱佛出世猶未得出若生人中缺脣無舌獲如是報何以故衆生之性即是法性從本已來無有增減云何於中分別病藥又云於諸法中若說高下即名邪說其口當破其舌當裂何以故一切衆生心垢同一垢心淨同一淨衆生若病應同一病衆生須藥應同一藥若說多法即名顛倒何以故爲妄分別析善惡法破一切法故隨機說法斷佛道故此又了然不壞之義也又金剛經云是法平等無有高下是名阿耨多羅三藐三菩提又金剛三昧經云皆以一味道終不以小乘無有諸雜味猶如一雨潤據此後三經則與前三經義甚相戾也其故何哉若云依維摩詰謂富樓那云先當入定觀此人心然後說法又云不觀人根不應說法夫以富樓那之通慧又親奉如來爲大弟子尚未能觀知人心況後五百歲末法中弟子豈盡能觀知人心而後說法乎設使觀知人心若彼發小乘心而爲說大乘法可乎若未能觀彼心而率己意說法又可乎既未能觀與默然不說又可乎若云依義不依語則上六經之義互相違反其將孰依乎若云依了義經則三世諸佛一切善法皆從此六經出孰名爲不了義經乎況諸經中與維摩法華首楞嚴之說同者非一也與法王金剛三昧之說同者亦非一也不可偏舉故於二義中各舉三經此六經皆上人常所講讀者今故引以爲問必有甚深之旨焉今且有人忽問法於上人上人或能觀知其心或未能觀知其心將應病與藥而爲說邪將同一病一藥而爲說邪若應病與藥是有高下是有雜味即反法王等三經之義豈徒反其義又

獲如上所說之罪報矣若同一病一藥爲說必當說大乘大乘卽佛乘也若讚佛乘且不隨應且不救病卽反維摩等三經之義豈徒反其義又使衆生沒在罪苦矣六者皆如來說如來是眞語實語不誑語不異語者今隨此則反彼順彼則逆此設有問者上人其將何法以對焉此其未論者一也又五蘊者色受想行識是也十二因緣者無明緣行行緣識識緣名色名色緣六入六入緣觸觸緣受受緣愛愛緣取取緣有有緣生生緣老死病苦憂悲苦惱是也夫五蘊十二因緣蓋一法也蓋一義也略言之則爲五詳言之則爲十二雖名數多少或殊其於輪次轉還合同條貫今五蘊中則色受想行識相次而十二緣中則行識色入觸受想緣一則色在行前一則色次行後正序之旣不類逆輪之又不同若謂佛次第而言則不應有此雜亂若謂佛偶然而說則不當名爲因緣前後不倫其義安在此其未論者二也上人耆年大德後學宗師就出家中又以說法而作佛事必能研精二義合而通之仍望指陳著於翰墨蓋欲藏於篋笥永永不忘也其餘疑義亦續啟問

居易頓首

與崔連（一作饒）州論石鍾乳事書　柳宗元

某白前以所致石鍾乳非良聞子敬所餌與此類又聞子敬時憤悶動作宜以爲未得其粹美而爲麤礦慘悍所中懼傷子敬醕懿仍習謬誤故勤以爲告也再獲書辭辱徵引地理證驗過數百言以爲土之所出乃良無不可者是將不然夫言土之出者固多良而少不可不謂其咸無不可也草木之生也依於土然卽其類也而有居山之陰陽或近水或附石其本性移焉又況鍾乳產於石石之精麤疏密尋尺特異而穴之上下其土之薄厚石之高下不可知則依而產者固不一性然由其精密而出者則油然而淸炯然而耀其竅滑以夷其肌廉以微食之使人榮華溫柔其氣宜流生胃通腸壽善康寧心平意舒其樂愉愉由其麤疏而下者則奔突結澀乍大乍細色如枯骨或類死灰淹顇不發叢齒積纇重濁

頑樸食之使人偃蹇抑鬱泄火生風戟喉爇肺幽閟不聰心煩喜怒肝舉氣剛不能和平故君子慎焉取其色之美而不必惟土之信以求其至精凡爲此也幸子敬餌之近不至於是故可止樂也必若土之出無不可者則東南之竹箭雖旁岐揉曲皆可以貫犀革北山之木雖離奇液樠空立中枯者皆可以梁百尺之觀航千仞之淵冀之北土馬之所生凡其大耳短脰拘攣踠跌薄蹏而曳者皆可以勝百鈞馳千里雍之塊璞皆可以備砥礪徐之糞壤皆可以封大社荊之茅皆可以縮酒九江之龜皆可以卜泗濱之石皆可以擊考若是而不大謬者少矣其在人也則魯之晨飲其羊開轂而輮輪者皆可以爲師儒盧之沽名者皆可以爲大醫西子之里惡而矉者皆可以當侯王山西之冒沒輕儳沓貪而忍者皆可以鑿凶門制閫外山東之稚騃樸鄙力農桑啗棗栗者皆可以謀謨於廟堂之上若是則反倫悖道甚矣何以異於是物哉是故經中言丹砂者以類芙蓉而有光言當歸者以馬尾蠶首言人參者以人形黃芩以腐腸附子八角甘遂赤膚之類不可悉數若果土宜乃善則云生某所不當云某者良也又經注云始興爲上次乃廣連則不必服正爲始興也今再三爲言者惟欲得其精英以固子敬之壽非以知藥石角技能也若以服餌不必利己姑務勝人而誇辯博素不望此於子敬其不然明矣故畢其說某白

文粹卷第八十三

文粹卷第八十四

吳興　姚鉉　纂

書六　總一十一首

論文上

與滑州盧大夫論文書　柳冕

頓首別後九年年巳老大平生好文老亦興盡日爲外事所撓有筆語兩大卷或不得巳而爲之或有爲而爲之旣爲頗近教化謹錄呈上望覽訖一笑夫文生於情情生於哀樂哀樂生於治亂故君子感哀樂而爲文章以知治亂之本屈宋以降則感哀樂而亡雅正魏晉以還則感聲色而亡風教宋齊以下則感物色而亡興致教化興亡則君子之風盡故淫麗形似之文皆亡國哀思之音也自夫子至梁陳三變以至衰弱嗟乎關雎興而周道盛王澤竭而詩不作作則王道興矣天其或者肇往時之亂爲聖唐之治興三代之文者乎老夫雖知之不能文之縱文之不能至之況巳衰矣安能鼓作者之氣盡先王之教在吾子復而行者鼓而生之冕頓首

與徐給事論文書

文章本於教化形於治亂繫於國風故在君子之心爲志形君子之言爲文論君子之道爲教易云觀乎人文以化成天下此君子之文也自屈宋已降爲文者本於哀豔務於恢誕亡於比興失古義矣雖揚馬形似曹劉骨氣潘陸藻麗文多用寡則是一技君子不爲也昔武帝好神仙而相如爲大人賦以諷帝覽之飄然有淩雲之氣故揚雄病之曰諷則諷矣吾恐不免於勸也蓋文有餘而質不足則流才有餘而雅不足則蕩流蕩不返使人有淫麗之心此文之病也雄雖知之不能行之行之者惟荀孟賈生董仲舒而已僕自下車爲外事所感感而應之爲文不覺成卷意雖復古而不逮古則不足以議古人之文噫古人之文不可及之矣得見古人之心在於文乎苟無文又不得見古人之心故未能亡言亦志之所之也

答荊南裴尚書論文書

猥辱來問曠然獨見以爲齒髮漸衰人情所惜也親愛遠道人情

不忘也大哉君子之言有以見天地之心夫天生人人生情聖與賢在有情之内久矣苟忘情於仁義是殆於學也忘情於骨肉是殆於恩也忘情於朋友是殆於義也此聖人盡知於斯立教於斯今之儒者苟持異論以爲聖人無情誤也故無情者聖人見天地之心知性命之本守窮達之分故得以忘情明仁義之道斯須忘之斯爲過矣骨肉之恩斯須忘之斯爲亂矣朋友之義斯須忘之斯爲薄矣此三者發於情而爲禮由於禮而爲教故夫禮者教人之情而已丈人志於道故來書盡於道是合於情盡於禮至矣昔顏回死夫子曰天喪予子路死夫子曰天喪予是聖人不忘情也久矣丈人豈不謂然乎如晁者雖不得與君子同道實與君子同心相顧老大重以離別況在萬里邈無前期斯得忘情乎古人云一日不見如三秋兮況十年乎前所寄拙文不爲文以言之蓋有謂而爲之昔堯舜歿雅頌作雅頌寢夫子作未有不因於教化爲文章以成國風是以君子之儒學而爲道言而爲經行而爲教聲

而爲律和而爲音如日月麗乎天無不照也如草木麗乎地無不章也如聖人麗乎文無不明也故在心爲志發言爲詩謂之文兼三才而名之曰儒儒之用文之謂也言而不能文君子恥之及王澤竭而詩不作騷人起而淫麗興文與教分而爲二以揚馬之才則不知教化以荀陳之道則不知文章以孔門之教評之非君子之儒也夫君子之儒必有其道有其道必有其文道不及文則德勝文不知道則氣衰文多道寡斯爲藝矣語曰文質彬彬然後君子兼之者斯爲美矣昔游夏之文章與夫子之道遍流列於四科之末此藝成而下也苟言無文斯不足徵小子志雖復古力不足也言雖近道辭則不文雖欲拯其將墜末由也已文人儒之君子曲垂見褒反以自愧晃再拜

答徐州張尚書論文武書

辱前月十二日書問文章之道將帥之事朋友之義有君子之道三甚善甚善夫文章者本於教化發於情性本於教化堯舜之道

也發於情性聖人之言也自成康歿頌聲寢騷人作淫麗興文與教分爲二不足者彊而爲文則不知君子之道知君子之道者則恥爲文文而知道二者兼難兼之者大君子之事上之堯舜周孔也次之游夏荀孟也下之賈生董仲舒也夫日月之麗仰之愈明金石之音聽之彌清故聖人感之而文章生焉教化成焉哀樂形焉逮德下衰文章教化埽地盡矣噫聖人之道猶聖人之文也學其道不知其文君子恥之學其文不知其教君子亦恥之老夫從君子久矣雖欲學之未能文之不足以當君子之褒然詠乎堯舜之道舞乎沂泗之風庶乎與同也將帥三軍之師萬人之命子實爲之矣今國家之患患在師老足下之患患在勢分且天下大勢也善爲將者乘天下之勢苟變化在人則用之如神彼勢合者驅而盟之使其擾從桓文是也勢分者力以傾之使其削弱申商是也則遇非常之時不可以尋常之事邀萬代之勳明矣今足下據億丈之城仗大順之衆有桓文之志苟不修其軍政合其大勢制

其死命則不足以輟東顧之憂故老夫前書開陳古義以激壯心而猥辱遠示以爲聽道路之說甚不然也傳曰諸侯有相滅亡者桓公不能救則桓公恥之今子爲大將實制東夏爲不義而彊力不能制者春秋亦恥之國不富而昌兵不教而彊敵不謀而亡是管仲無功於齊商君無能於秦子房無謀於漢矣蓋求天下之智盡天下之才成天下之務此將帥之本也較短長定曲直乃匹夫之爲爾古者自天子至於庶人未有不須友以相成者僕雖老矣辱君子之遊同君子之道見君子之榮三十年矣子之善猶僕之善也得不相成乎且百年之壽人誰及之歲月有窮天地有終惟立德立言立功斯爲不朽彼聖賢救世死而後已氣有所感也故天下有樂賢人樂之天下有憂賢人憂之樂毅所以徇弱燕之急復彊齊之讎韓信所以感推食之恩申戰勝之感意氣所感天地相合況於人乎天方授子子實爲將得不憂之乎噫德與言僕無望矣立功立事在吾子爲之壁可求也時不可再也是以古人惜

上乃十三川　禾田

時之過已昔者仲尼以大聖之德不免爲旅人之身斯無時也賈生以希世之才而無佐命之勳斯無位也今足下遇非常之主統桓文之師時與位泰矣苟功成於身則義動天下使天下之人受其賜不亦休哉既書慨然心馳旗鼓之下某頓首

上于襄陽書　韓愈

伏蒙示文武順聖樂辭天保樂詩讀蔡琰胡笳辭詩移族從并與京兆書自幕府至鄧之北境凡五百餘里自庚子至甲辰凡五日手披目視口詠其言心惟其義且恐且懼忽若有亡不知鞍馬之勤道途之遠也夫澗谷之水深不過咫尺丘垤之山高不踰尋丈則人狎而翫之及至臨泰山之懸崖窺巨海之驚瀾莫不戰悼憚慄眩惑而自失所觀變於前所守易於內亦其理宜也閣下負超卓之奇材蓄雄剛之俊德渾然天成無有畔岸而又貴窮乎公相威動乎樞極天子之毗諸侯之師故其文章言語與事相侔憚赫若雷霆浩汗若河漢正聲諧韶頀勁氣沮金石豐而不餘一言約而

不失一辭其事信其理切孔子之言曰有德者必有言信乎其有德且有言也揚子雲曰商書灝灝爾周書噩噩爾信乎其能灝灝而且噩噩也昔者齊君行而失道管子請釋老馬而隨之樊遲請學稼孔子使問之老農夫馬之智不賢於夷吾農之能不聖於尼父然且云爾者聖賢之能多農馬之知專故也今愈雖愚且賤其從事於文實專且久則其贊王公之能而稱大君子之美不爲僭越也伏惟詳察愈恐懼再拜

寄李翺書　裴度

前者唐生至自滑猥辱致書札兼獲所貺新作十二篇度俗流也不盡窺見若愍女碑烈婦傳可以激揚敎義煥於史氏鍾銘謂以功伐名於器非爲銘與弟正辭書謂文非一藝斯皆可謂救文之失廣文之用也甚善甚善然僕之知弟也未知其他直以弟敏於學而好於文何就六經而正焉故每遇名輩稱弟不容於口自謂彌久益無愧詞竊料弟亦以直諒見待不以悅媚相容故不唯嗟悒亦欲商度其萬一耳若弟擯落今古脫遺經籍斯則如獻白豕何足採取若猶有祖述則願陳其梗槩以相參會耳愚謂三五之代上垂拱而無爲下不知其帝力其道漸被於天地萬物不可得而傳也夏殷之際聖賢相遇其文在於盛德大業又鮮可得而傳也厥後周公遭變仲尼不當世其文遺於册府故可得而傳也於是作周孔之文荀孟之文左右周孔之文也理身理家理國理天下一日失之敗亂至矣騷人之文發憤之文也雅多自賢頗有狂態相如子雲之文譎諫之文也自爲一家不是正氣賈誼之文化成之文也鋪陳帝王之道昭昭在目司馬遷之文財成之文也馳騁數千載若有餘力董仲舒劉向之文通儒之文也發明經術究極天人其餘擅美一時流譽千載者多矣不足爲弟道焉然皆不詭其詞而詞自麗不異其理而理自新若夫典謨訓誥文言繫辭國風雅頌經聖人之筆削者則又至易也至直也雖大彌天地細入無閒而奇言怪語未之或有意隨文而可見事隨意而可行此所

謂文可文非常文也其可文而文之何常之有俾後之作者有所裁準而請問於弟謂之何哉謂之不可非僕敢言謂之可也則大學之道在明明德在止至善矣能止於止乎若遂過之猶不及也觀弟近日制作大旨常以時世之文多偶對儷句屬綴風雲羈束聲韻爲文之病甚矣故以雄詞遠致一以矯之則是以文字爲意也且文者聖人假之以達其心心達則已理窮則已非故高之下之詳之略之也愚欲去彼取此則安步而不可及平居而不可踰又何必遠關經術然後騁其材力哉昔人有見小人之違道者恥與之同形貌共衣服遂思倒置眉目反易冠帶以異也不知其倒之反之之非也雖非於小人亦異於君子矣故文之異在氣格之高下思致之深淺不在磔裂章句隳廢聲韻也人之異在風神之清濁心志之通塞不在於倒置眉目反易冠帶也庶幾高明少納庸妄若以爲未幸不以苦言見革其惑惟僕心虛荒散百事罷息然意之所在敢隱於故人邪昌黎韓愈僕識之舊矣中心愛之不覺驚賞然其人信美材也近或聞諸儕類云恃其絕足往往奔放不以文立制而以文爲戲可矣乎可矣乎今之作者不及則已及之者當大爲防焉爾弟索居多年勞想深至窮陰凝沍動息何如入奉晨昏之歡出參帷幄之畫固多適耳昨弟來字欲度及時干進度昔歲取名不敢自高今孤煢若此遊宦謂何是不復能從故人之所勖耳但寘力田園省過朝夕而已然待春氣微和農事未動或當策蹇謁賢大夫兼與弟道舊未爾間猶希尺牘珍重珍重力書無餘從表兄裴度奉簡

敘詩寄樂天書　元稹

僕九歲學賦詩長者往往驚其可教年十五六粗識聲病時貞元十年已後德宗皇帝春秋高理務用人最不欲文法吏生天下罪過外閫節將動十餘年不許朝覲死於其地不易者十八九而又將豪卒愎之處因喪負眾橫相賊殺告變騶驛使者迭窺旋以狀聞天子曰某色將某能遏亂亂眾盩附願爲其帥名爲眾情其實

逼詐因而可之者又十八九前置介倅因緣交授者亦十四五由是諸侯敢自爲旨意有羅列兒孫以自固者有開導蠻夷以自重者省寺符篆固於几閣甚者擬詔旨視一境如一室刑殺其下不啻僕畜厚加剝奪名爲進奉其實貢入之數百一焉京城之中亭第邸店以曲巷斷侯甸之內水陸腴沃以鄉里計其餘奴婢資財生生之備稱是朝廷大臣以謹愼不言爲朴雅以時進見者不過一二親信直臣議士往往抑塞禁省之間時或繕完隤墜豪家大帥乘聲相扇延及老佛土木妖熾習俗不怪上不欲令有司備宮闈中小碎須求往往持幣帛以易餅餌吏緣其端剽奪百貨勢不可禁僕時孩騃不慣聞見獨於書傳中初習理亂萌漸心體悸震若不可活思欲發之久矣適有人以陳子昂感遇詩相示吟翫激烈即日爲寄思立子詩二十首故鄭京兆於僕爲外諸翁深賜憐獎因以所賦呈獻京兆翁深相駭異祕書少監王表在座顧謂表曰使此兒五十不死其志義何如哉惜吾輩不見其成就因召諸

子訓責泣下僕亦竊不自得由是勇於爲文又久之得杜甫詩數百首愛其浩蕩津涯處處皆到始病沈宋之不存寄興而訝子昂之未暇旁備矣不數年與詩人楊巨源友善日課爲詩性復僻懶人事常有閑則有作識足下時有詩數百篇矣習慣性靈遂成病蔽每公私感憤道義激揚朋友切磨古今成敗日月遷逝光景慘舒山川勝勢風雲氣色當花對酒樂罷哀餘通滯屈伸悲歡合散至於疾恙窮身悼懷昔遊凡所對遇異於常者則欲賦詩又不幸年三十二時有罪譴棄今三十七矣五六年閑是丈夫心力壯時常在閑處無所役用性不近道未能淡然忘懷又復懶於他欲全盛之氣注射語言雜糅精麤遂成多口然亦未嘗繕寫適値河東李明府景儉在江陵時僻好僕詩章謂爲能解欲得盡取觀覽僕因撰成卷軸其中有旨意可觀而詞近往古者爲古諷意亦可觀而流在樂府者爲樂諷詞雖近古而止於吟寫性情者爲古體詞實樂流而止於模象物色者爲新題樂府聲勢沿順屬對穩切者

爲律詩仍以七言五言爲兩體其中有稍存寄興與諷爲流者爲律諷不幸少有伉儷之悲撫存感往成數十詩取潘子悼亡爲題又有以干教化者近世婦人暈澹眉目綰約頭鬢衣服脩廣之度及匹配色澤尤劇怪豔因爲豔詩百餘首詞有今古又兩體自十六時至是元和七年已有詩八百餘首色類相從共成十體凡二十卷自笑冗亂亦不復置之於行李昨來京師偶在筐篋及通行盡置足下僅亦有說僕聞上士立德其次立事不遇立言凡人急位其次急利下急食僕天與不厚既乏全然之德命與不偶未遭可爲之事性與不惠復無垂範之言兀兀狂癡行近四十徼名取位不過於第八品而冒憲已六七年授通之初有習通之熟者曰通之地溼墊卑褊人士稀少近歲荒凶死亡過半邑無吏市無貨百姓茹草木刺史以下計粒而食大有虎豹蛇虺之患小有蟆蚋浮塵蜘蛛蛒蜂之類皆能鑽齧肌膚使人瘡痏夏多陰霪秋爲痢瘧地無醫巫藥石萬里病者有百死一生之慮何僕之命不厚也如此智不足也又如此其所詣之憂險也又如此則安能保持萬全與足下必復京輦以須他日立言立事之驗邪但恐一旦與急食者相扶而終使足下受天下友不如己之誚是用悉所爲文留穢箱笥比夫格奕樗塞之戲猶曰愈於飽食僕所爲不又愈於格奕樗塞之戲乎昨行巴南道中又有詩五十一首文書中得七年巳後所爲向二百篇繁亂冗雜不復置之執事前所爲寄思玄子者小歲云爲文不能自足其意貴其起予之始且志京兆翁見遇之由今亦寫爲古諷之一移諸左右僕少時授吹嘘之術於鄭先生病嬾不就今在閒處思欲怡神保和以求其內異日亦不復費詞於無用之文矣省視之煩庶亦已於是乎

答楊中丞論文書　柳冕

來書論文盡養才之道增作者之氣推而行之可以復聖人之教見天地之心甚善嗟乎天地養才而萬物生焉聖人養才而文章生焉風俗養才而志氣生焉故才多而養之可以鼓天下之氣天

下之氣生則君子之風盛古者陳詩以觀人風君子之風仁義是也小人之風邪佞是也風生於文文生於質天地之性也止於經聖人之道也感於心哀樂之音也故觀乎志而知國風逮德下衰風雅不作形似豔麗之文興而雅頌比興之義廢豔麗而工君子耻之此文之病也嗟乎天下之才少久矣文章之氣衰甚矣風俗之不養才病矣才少而氣衰使然也故當世君子學其道習其弊不知其病也所以其才日盡其氣益衰其教不興故其人日野如病者之氣從壯得衰從衰得老從老得死沈綿而去終身不悟非良醫孰能知之夫君子學文所以行道足下兄弟今之才子官雖不薄道則未行亦有才者之病君子患不知之既知之則病不能無病故無病則氣生氣生則才勇才勇則文壯文壯然後可以鼓天下之動此養才之道也在足下他日行之如老夫之文不近於道老夫之氣已至於衰老夫之心不復能勇三者無矣又安得見古人之文論君子之道近先王之教斯不能必矣晁白

答衢州鄭使君論文書

專使至辱書并歸拙文如見君子所褒過當無德以當之幸甚門人云夫子之文章可得而聞也夫子之言性與天道不可得而聞也即聖以道可企而及之者文也不可企而及之者性也蓋言教化發乎性情繫乎國風者謂之道故君子之文必有其道道有深淺故文有崇替時有好尚故俗有雅鄭雅之與鄭出乎心而成風昔游夏之文日月之麗也然而列於四科之末藝成而下也苟文不足則人無取焉故言而不能文非君子之儒也文而不知道亦非君子之儒也逮德下衰其文漸替惜乎王公大人之言而溺於淫麗怪誕之說非文之罪也爲文者之過也夫善爲文者發而爲聲鼓而爲氣直則氣雄精則氣生使五彩並用而氣行於其中故虎豹之文蔚而騰光氣也日月之文麗而成章精也精與氣天地感而變化生焉聖人感而仁義行焉不善爲文者反此故變風變雅作矣六藝之不興教化之不明此文之弊也噫文之無窮而人

之才有限苟力不足者彊而爲文則蹷彊而爲氣則竭彊而爲智則拙故言之彌多而去之彌遠遠之便已道則中廢又君子所恥也則不足見君子之道與君子之心心有所感文不可已理有至精詞不可逮則不足當君子之褒敬叔頓首

答莊充書　杜牧

某白莊先輩足下凡爲文以意爲主以氣爲輔以辭彩章句爲之兵衛未有主彊盛而輔不飄逸者兵衛不華赫而莊整者四者高下圓折步驟隨主所指如鳥隨鳳魚隨龍師衆隨湯武騰天潛泉橫裂天下無不如意苟意不先立止以文彩辭句繞前捧後是辭愈多而理愈亂如入闤闠紛紛然莫知其誰暮散而已是以意全勝者辭愈朴而文愈高意不勝者辭愈華而文愈鄙是意能遣辭辭不能成意大抵爲文之旨如此觀足下所爲文百餘篇實先意氣而後辭句慕古而尚仁義者苟爲之不已資以學問則古作者不爲難到今以某無可取欲命以爲序承當厚意惕息不安復觀自古序其文者皆後世宗師其人而爲之詩書春秋左氏已降百家之說皆是也古者其身不遇於世寄志於言求言遇於後世也自兩漢已來富貴者千百自今觀之聲勢光明孰若馬遷相如賈誼劉向揚雄之徒斯人也豈求知於當世哉故親見揚子雲著書欲取覆醬瓿雄當其時亦未嘗自有誇目況今與足下並生今世欲序足下未已之文此固不可也苟有志古人不難到勉之而已某再拜

與賈秀才書　孫樵

主藪足下曩者樵耳足下聲憤足下售於時何晚及目足下五逌五十篇則足下困十上亦宜矣物之精華天地所祕惜故蒙金以砂錮玉以璞珊瑚之叢必茂重溟夜光之珍必頷驪龍抉而不知已櫝而不知止不窮則禍天地讎也文章亦然所取者廉其得必多所取者深其身必窮六經作孔子削迹不粒矣孟子述子思坎軻齊魯矣馬遷以史記禍班固以西漢禍揚雄以法言太玄窮元

結以浯谿碣窮陳拾遺以感遇詩窮王勃以宣尼廟碑窮玉川子以月蝕詩窮杜甫李白王江寧皆相望於窮者也天地其無意乎今足下立言必奇摭意必深抉精剔華期到聖人以此賈於時釣榮邀富猶欲疾其驅而方其輪若曰爵祿不動於心窮達與時上下成一家書自期不朽則樵之所敢知也嗚呼孤進患心不苦及其苦知者何人古人抱玉而泣樵捧足下文能不濡睫懼足下自待也淺且疑其道不固因歸五通不得無言

文粹卷第八十四

文粹卷弟八十五　　吳興　姚鉉　纂

書七 總一十一首啟附

論文下

上令狐相公詩啟 元稹

與陸傪書　李翱

李觀之文章如此官止於太子校書郎年止於二十九雖有名於時俗其卒深知其至者果誰哉信乎天地鬼神之無情於善人而不罰罪也甚矣爲善者將安所歸乎翱書其人贈於兄贈於兄蓋思君子之知我也與李觀平生不相往來及其死也則見其文嘗歎使李觀若永年則不遠於揚子雲矣書已之文次忽然若觀之文亦見知於君也故書苦雨賦綴於前當下筆時復得詠其文則觀也雖不永年亦不甚遠於揚子雲矣書苦雨之辭既又思我友韓愈非茲世之文古之文也非茲世之人古之人也其詞與其意適則孟軻既沒亦不見有過於斯者當下筆時如他人疾書之寫誦之不是過也其詞乃能如此嘗書其一章曰獲麟解其他亦可以類知也窮愁不能無所述適有書寄弟正辭及其終亦自覺不甚下尋常之所爲者亦書以贈焉亦惟讀觀愈之詞既冀一詳焉

翺再拜

答李生書　　皇甫湜

辱書適曛黑使者立復不果一二承來意之厚傳曰言及而不言失人粗書其愚爲足下答幸察來書所謂今之工文或先於奇怪者顧其文工與否耳夫意新則異於常異於常則怪矣詞高則出於衆出於衆則奇矣虎豹之文不得不炳於犬羊鸞鳳之音不得不鏘於烏鵲金玉之光不得不炫於瓦石非有意先之也迺自然也必崔嵬然後爲岳必滔天然後爲海明堂之棟必撓雲霓驪龍之珠必錮深泉足下以少年氣盛固當以出拔爲意學文之初且未自盡其才何遽稱力不能哉圖王不成其弊猶可以霸其僅自見也將不勝弊矣孔子譏其身不能者幸勉而思進之也來書所謂浮豔聲病之文恥不爲者雖誠可恥但慮足下方今不爾且不能自信其言也何者足下舉進士舉進士者有司高張科格每歲聚者試之其所取迺足下所不爲者也工欲善其事必先利其器

足下方伐柯而捨其斧斤可乎哉恥之不當求也求而恥之惑也今吾子求之矣是徒涉而恥濡足也寧能自信其言哉來書所謂汲汲於立法寧人者迺在位者之事聖人得勢所施爲也非詩賦之任也功既成澤既流詠歌紀述光揚之作作焉聖人不得勢方以文詞行於後今吾子始學未仕而急其事亦太早計矣凡來書所謂數者似言之未稱思之或過其餘則皆善矣既承嘉惠敢自疏怠聊復所謂俟見方盡湜再拜

第二書

湜白生之書辭甚多志氣甚橫流論說文章不可謂無意若僕愚且困迺生詞競於此固非宜雖然惡言無從不可不卒勿怪夫謂之奇則非正矣然亦無傷於正也謂之奇卽非常矣非常者謂不如常者謂不如常迺出常也無傷於正而出於常雖尙之亦可也此統論奇之體耳未以文言之失也夫文者非他言之華者也其用在通理而已固不務奇然亦無傷於奇也使文奇而理正是尤

難也生意便其易者乎夫言亦可以通理矣而以文爲貴者非他文則遠無文卽不遠也以非常之文通至正之理是所以不朽也生何嫉之深邪夫繪事後素旣謂之文豈苟簡而已哉聖人之文其難及也作春秋游夏之徒不能措一辭吾何敢擬議之哉秦漢已來至今文學之盛莫如屈原宋玉李斯司馬遷相如揚雄之徒其文皆奇其傳皆遠生書文亦善矣比之數子似猶未勝何必心之高乎傳曰言之不出恥躬之不逮也生自視何如哉書之文不奇易之文可爲奇矣豈礙理傷聖乎如龍戰於野其血玄黃見豕負塗載鬼一車突如其來如焚如死如棄如此何等語也生輕宋玉而稱仲尼班馬相如爲文學按司馬遷傳屈原曰雖與日月爭光可矣生當見之乎若相如之徒卽祖習不暇者也豈生稱誤邪將識分有所至極邪將彼之所立卓爾非强爲所庶幾遂讎嫉之邪其何傷於日月乎生笑紫貝闕兮珠宮此與詩之金玉其相何異天下人有金玉爲之質者乎披薜荔兮帶女蘿此與贈之以芍

藥何異文章不當如此說也豈謂怒三四而喜四三識出之白而性入之黑乎生云虎豹之文非奇夫長本非長短形之則長矣虎豹之形於犬羊故不得不奇也他皆倣此生云自然者非性不知天下何物非自然乎生又云物與文學不相侔此喻也凡喻必以非類豈可以彈喻彈乎是不根者也生稱以知難而退爲謙夫無難而退謙也知難而退宜也非謙也豈可見黃門而稱貞哉生以一詩一賦爲非文章抑不知一之少便非文章邪直詩賦不是文章邪如詩賦非文章三百篇可燒矣如少非文章湯之盤銘是何物也孔子曰先行其言旣爲甲賦矣不得稱不作聲病文也孔子云必也正名乎生旣不以一第爲事不當以進士冠姓名也夫煥乎郁郁乎之文謂制度非止文詞也前者捧卷軸而來又以浮豔聲病爲說似商量文詞當與制度之文異日言也近風敎偷薄進士尤甚迺至有一謙三十年之說爭爲虛張以相高自謾詩未有劉長卿一句已呼阮籍爲老兵矣筆語未有駱賓王一字已罵宋

玉爲罪人矣書字未識偏傍高談稷契讀書未知句度下視服鄭此時之大病所當嫉者生美才勿似之也傳曰惟善人能受善言孔子曰君子無所爭必也射乎問於湜者多矣以生之有心也聊有復不能盡不宣湜再拜

復友生論文書　陸龜蒙

辱示近年作者論文書二篇使僕是非得失於其間僕雖極頑冥亦喘息汗下見詆訶之甚難招禍患之甚易也況僕少不攻文章止讀古聖人書誦其言思行其道而未得也每涵咀義味獨坐日昃案上有一杯藜羹如五鼎七牢饋於左右加之以撞金石萬羽籥也未嘗干有司對問希品第未嘗歷王公匃貸飾車馬故無用文處江湖間不過美泉石則記之聳節槩則傳之觸離會則序之値巾轝則銘之僻散上聲澹誕無所諱避又安知文之是歟非歟生過聽德我太甚苟嘿嘿不應非朋友切切偲偲之義也故扶病把筆一二論之曰我自小讀六經孟軻揚雄之書頗有熟者求文之

指趣規矩無出於此及子史則曰子近經經語古而微史近書書語直而淺所言子近經何經史近書書近何書書則記言之史也史近春秋春秋則記事之史也六籍中獨詩書易象與魯春秋經聖人之手耳禮樂二記雖載聖人之法近出二戴未能通一純實故時有齟齬不安者蓋漢代諸儒爭撰而獻之求購金耳記言記事參錯前後曰經曰史未可定其體也案經解則悉謂之經區而別之則詩易爲經書與春秋實史耳學者不當混而言之且經解之篇句名出於戴聖耳王輔嗣因之以易爲經杜元凱因之以春秋爲經孔子曰學詩乎學禮乎易之爲書也原始要終知我以春秋罪我以春秋未嘗稱經稱經非聖人旨也蓋出於周公謚法經緯天地曰文故也有經書必有緯書聖人既作經亦當作緯譬猶織也經而不緯可成幅乎緯者且非聖人之書則經亦後人名之耳非聖人之旨明矣苟以六籍謂之經習而稱之可也指司馬遷班固之書謂之史何不思之甚乎六籍之內有經有史何必下及

子長孟堅然後謂之史乎孔子曰吾猶及史之闕文也曰質勝文則野文勝質則史又曰董狐古之良史也此則筆之曲直體之是非聖人悉論而辨之矣豈須班馬而後言史哉以詩易爲經以書春秋爲史足矣無待於外也謂經語古而旨微則易曰履霜堅冰至初筮告再三瀆瀆則不告苦節不可貞之類果純古而微乎謂史語直而淺則春秋書考仲子之宮初獻六羽及齊師戰于乾時我師敗績辛巳有事於太廟仲遂卒於垂壬午猶繹萬入去籥之類果純直而淺乎經不純微史不純淺又可見也言文之不可立喻則曰春秋不當言無使滋蔓又云春秋舉軍旅會盟豈非敘事邪引左氏傳語徵左氏敘事悉謂之春秋可乎春秋大典也舉凡例而褒貶之非周公之法所及者酌在夫子之心故游夏不能措一辭若區區於敘事則魯國之史官耳孰謂之春秋哉前所自謂讀六經頗有熟者求文之指趣規矩不出於此妄矣又一篇曰某文也某辭也文既與辭異是文優而辭劣耳易之翼曰繫辭繫辭

曰齊小大者存乎卦辯吉凶者存乎辭故卦有大小辭有險易又曰觀其彖辭則思過半矣易之辭非文邪書載帝庸作歌皐陶乃賡載歌又歌五子之歌皆辭也書之辭非文邪屬辭比事春秋教也春秋之辭非文邪禮有朝聘之辭娶夫人之辭樂有登歌薦之辭禮樂之辭非文邪法言曰往者楊墨塞路孟子辭而闢之廓如也孟軻之辭非文邪太玄之辭也沈以窮乎下浮以際乎上揚雄之辭非文邪是知文者辭之總辭者文之用天之將喪斯文也天之未喪斯文也不當稱辭吉人之辭寡躁人之辭多不當稱文文辭一也但所適有宜耳何異途云云哉又曰聲病之辭非文也夫聲成文謂之音五音克諧然後中律度故舜典曰詩言志歌永言聲依永律和聲聲之不和病也去其病則和和則動天地感鬼神反不得謂之文乎猶繪事組繡中有精物耳大凡辭人之說不敢避墉垣援膚爪而自矜於堂奧心府也要在引學者當知之事以明之而已矣師道不行後生多泥於所習有陷而溺者力能援之

可也如其不同請觀過而後罰

答開元寺僧書　李翺

前日見命作開元寺鐘銘云欲藉僕之辭庶幾不朽而傳於後世誠足下相知之心無不到也雖然翺學聖人之心焉則不敢讓乎知聖人之道者也當見命時意亦思之熟矣吾之銘是鐘也吾將明聖人之道焉則於釋氏無益也吾將順釋氏之教而述焉則紿乎天下甚矣何貴乎吾之先覺也吾之辭必傳於後後有聖人如仲尼者之讀吾辭也則將大責於吾矣吾畏聖人也夫銘古多有焉湯之盤銘其辭云云衛孔悝之鼎銘其辭云云秦始皇帝之嶧山銘其辭云云皆所以紀功伐垂誡勸於盤則曰盤銘於鼎則曰鼎銘於山則曰山銘盤之辭可遷之於鼎鼎之辭可移之於山山之辭可書之於碑惟時之所紀爾及蔡邕黃鉞銘以紀功於黃鉞之上爾或盤或鼎或嶧山或黃鉞其立意與言皆同非如高唐上林長楊爲之作賦云爾近代之文士則不然爲銘爲碑大抵詠其形

容有異於古人之所爲其作鐘銘則必詠其形容與其音聲與其財用之多少鎔鑄之勤勞爾非所謂勸功德垂誡勸於器也推此類而極觀之其不知君子之文也亦甚矣然其所爲文亦皆有盛名於時天下人之咸謂之善焉吾不知吾所獨知其能賢於他人之皆不知乎天下人咸以不知者云善則吾之獨知又何能云善乎雖然吾亦順吾心以順聖人爾阿俗從時則吾不忍爲也故當時未敢承教爲其所懷也如前所云足下欲吾之必銘是鐘也當順吾心與吾道則足下之名必傳於後代矣如欲從俗之所云則天下屬辭之士願爲之者甚衆矣何藉於李翺之辭哉幸思之也日中時將過淮而南書以道意且爲別

與李生論詩書　司空圖

文之難而詩之難尤難古今之喻多矣而愚以爲辨於味而后可以言詩也江嶺之南凡足資於適口者若醯非不酸也止於酸而已若鹺非不鹹也止於鹹而已中華之人所以充飢而遽輟者知

其鹹酸之外醋美者有所乏耳彼江嶺之人習之而不辨也宜哉詩貫六義則諷諭抑揚渟蓄淵雅皆在其間矣然直致所得以格自奇前輩諸集亦不專工於此矧其下者邪王右丞韋蘇州澄澹精緻格在其中豈妨於遒舉哉賈閬仙誠有警句然視其全篇意思殊餒大抵務於寒澀方可置才亦爲體之不備也矧其下者哉噫近而不浮遠而不盡然后可以言韻外之致耳愚幼嘗自負既久而愈覺缺然然得於早春則有草嫩侵沙長冰輕著雨消又人家寒食月花影午時天（上句云隔谷見雞犬山苗接楚田）又雨微吟足思花落夢無憀得於山中則有坡暖冬生筍松涼夏健人又川明虹照雨樹密鳥衝人得於江南則有戍鼓和潮暗船燈照島幽又曲塘春盡雨方響夜深船又夜短猿悲減風和鵲喜靈得於塞上則有馬色經寒慘鵰聲帶晚飢得於喪亂則有驊騮思故第鸚鵡失佳人又鯨鯢人海涸魑魅棘林幽得於道宮則有棊聲花院閉幡影石壇高得於夏景則有地涼清鶴夢林靜肅僧儀得於佛寺則有松日明金像苔龕響木魚又解吟僧亦俗愛舞鶴終卑得於郊原則有遠坡春早滲猶有水禽飛（上句綠樹連村暗黃花入麥稀）得於樂府則有晚妝留拜月春睡更生香得於寂寥則有孤螢出荒池落葉穿破屋得於愜適則有客來當意愜花發遇歌成雖庶幾不濱於淺涸亦未廢作者之譏訶也七言云逃難人多分隙地放生鹿大出寒林又得劍乍如添健僕亡書久似憶良朋又孤嶼池痕春漲滿小欄花韻午晴初又五更惆悵迴孤枕猶自殘鐙照落花（上句云故國春歸未有涯小欄高檻別人家）又殷勤元日日欹午又明年（上句云甲子今重數生涯只自憐）皆不拘於一槩也蓋絕句之作本於詣極此外千變萬狀不知所以神而自神也豈容易哉足下之詩時輩固有難色儻復以全美爲工卽知味外之旨矣勉旃某再拜

與王駕評詩書

足下末伎之工雖蒙譽於賢哲未足自信必俟推於其類而后神躍而色揚今之贄藝者反是若卽醫而靳其病也唯恐彼之善察

樂之我攻耳以爲卒人以護莫能自振痛哉且工之尤者莫若伎於文章其能不死於詩者比他伎尤寡豈可容易校量哉國初主上好文雅風流特盛沈宋始興之後傑出於江寧宏肆於李杜極矣右丞蘇州趣味澄敻若淸沇之貫達大脉十數公抑又其次焉力勍而氣孱乃都市豪估耳劉公夢得楊公巨源亦各有勝會閬仙無可劉得仁輩時得佳致亦足滌煩厭後所聞逾褊淺矣然河汾蟠鬱之氣宜繼有人今王生者寓居其間沈漬益久五言所得長於思與境偕乃詩家之所尚者則前所謂必推於其類豈止神躍色揚哉經亂索居得其所錄尚累百篇其勤亦至矣吾適又自編一鳴集且云撑霆裂月劼作者之肝脾亦當吾言之無怍也

答進士王（一作梁）載言書　　李翺

翺頓首足下不以翺卑賤無所可乃陳詞屈慮先我以書且曰余之藝及心不能棄於時將求知者問誰可則皆告曰其李君乎告足下者過也足下因而信之又過也果若來陳雖道備德具且猶不足辱厚命況如翺者多病少學其能以此堪足下所望博大而深閎者邪雖然盛意不可以不答故敢略陳其所聞蓋行己莫如恭自責莫如厚接眾莫如弘用心莫如直進德莫如勇受益莫如擇友好學莫如改過此聞之於師者也相人之術有三迫之以利而審其邪正設之以事而察其厚薄問之以謀而觀其智與不材賢不肖分矣此聞之於友者也列天地立君臣親父子別夫婦明長幼浹朋友六經之旨也浩乎若江海高乎若邱山赫乎若日火（一作肝）包乎若天地掇章稱咏津潤怪麗六經之詞也創意造言皆不相師故其讀春秋也如未嘗有詩其讀詩也如未嘗有易其讀易也如未嘗有書其讀屈原莊周也如未嘗有六經故義深則意遠意遠則理辯理辯則氣厚氣厚則詞盛詞盛則文工如山有恒華嵩衡焉其同者高也其草木之榮不必均也如瀆有濟淮河江焉其同者出源到海也其曲直淺深其色黃白不必均也如百品之雜焉其同者飽於腹也其味鹹酸苦辛不必均也此因學而知

者也此創意之大歸也天下之語文章有六說焉其尙異者則曰文章辭句奇險而已其好理者則曰文章敘意苟通而已其溺於時者則曰文章必當對其病於時者則曰文章不當對其愛難者則曰文章宜深不當易其愛易者則曰文章宜通不當難此皆情有所偏滯而不流未識文章之所主也義不主於理言不在於教勸而詞句怪麗者有之矣劇秦美新王褒僮約是也其理往往有是者而辭章不能工者有之矣劉氏人物志王氏中說俗傳太公家教是也古之人能極於工而已不知其辭之對與否易與難也詩曰憂心悄悄慍於羣小此非對也又曰遘閔旣多受侮不少此非不對也書曰朕堲讒說殄行震驚朕師詩曰菀彼桑柔其下侯旬捋采其劉瘼此下人此非易也書曰允恭克讓光被四表格于上下詩曰十畝之閒兮桑者閑閑兮行與子旋兮此非難也學者不知其方而稱說云云如前所陳者非吾之所敢聞也六經之後百家之言興老聃列禦寇莊周田穰苴孫武屈原宋玉孟軻吳起

商鞅墨翟荀況韓非李斯賈誼枚乘司馬遷相如劉向揚雄皆足以自成一家之文學者之所歸也故義雖深理雖當辭不工者不成爲文宜不能傳也文理義三者兼幷乃能獨立乎一時而不泯滅於後代能必傳也仲尼曰言之無文行之不遠子貢曰文猶質也質猶文也虎豹之鞹猶犬羊之鞹此之謂也陸機曰怵他人之我先韓退之曰唯陳言之務去假令述笑哂之狀曰莞爾則論語言之矣曰啞啞則易言之矣曰粲然則穀梁子言之矣曰攸爾則班固言之矣曰囅然則左思言之矣吾復言之與前文何以異也此造言之大歸也吾所以不協於時而學古文者悅古人之行也悅古人之行者愛古人之道也故學其言不可以不行其行行其行不可以不重其道重其道不可以不循其禮古之人相接有等輕重有儀列於經傳皆可詳引如師之於門人則名之於朋友則字而不名稱之於師雖朋友亦名之子曰吾與回言又曰參乎吾道一以貫之又曰若由也不得其死然是師之名門人驗也夫子

於鄭兄事子產於齊兄事晏平仲傳曰子謂子產有君子之道四焉又曰晏平仲善與人交子夏曰言游過矣子張曰子夏云何曾子曰堂堂乎張也是朋友字而不名驗也子貢曰賜也何敢望回又曰師與商也孰賢子游曰有澹臺滅明者行不由徑是稱於師雖朋友亦名驗也孟子曰天下之達尊三曰德爵年惡得有其一而慢其二哉足下之書曰韋君詞楊君潛足下之德與二君未知先後也而足下齒幼而位卑而皆名之傳曰吾見其與先生並行也竊懼足下不思乃陷于此韋踐之與翺書亟敘足下之善故敢盡詞以復足下之厚意計必不以爲犯李翺頓首

上楊相公啟 劉太眞

太眞啟前者曲蒙處分令獻所學舊文伏念早年僻居江介泛窺經典莫究宗源天寶中常遇故揚州功曹蘭陵蕭君語及文學許相師授而家貧世亂不克終之其後從役外府所用寡細雖抱宿心無因警發雖欲奔前賢之牆宇揖作者之風度涉隅角而輒滯望端倪而自失嘗有一言逸至理一章適遺恨竊懷恥愧不覺淹久以深稽命之罪寧負厚顏之愧謹上近所記錄三十餘章反復內省慙惶汗流伏惟相公秉人文以作相敷天縱之盛美發六籍以立言極三才之奧義協贊一德化成羣有懸衡而制其輕重操繩而審其曲直小人既無學術又無材用形神低悴年鬢積老又忝頃日曾霑引問擊蒙而恒失所對庸劣而竟無上補今復以此昧塵明鑒相公假爲之納其瑕穢小人不亦自重其嫌斥乎向使彊仕之閒獲趨門館荷深仁於哲匠被君子之善誘雖其頑魯或有庶幾之道焉今過五十已加其四學之已困力又不足遇伯樂而反惡於長鳴覩姬姜而自退其陋質抑小人之命也不敢多言謹啟

上知己文章啟 杜牧

某啟某少小好爲文章伏以侍郎文師也是敢謹貢七篇以爲視聽之污伏以元和功德凡人盡當詞詠紀敘之故作燕將錄往年

弔伐之道未甚得所故作罪言自艱難以來卒伍備役輩多據兵爲天子諸侯故作原十六衞諸侯或恃功不識古道以至於反側叛亂故作與劉司徒書處士之名自古之巢由伊吕輩近者往往自名之故作送辥處士序寶厤大起宫室廣聲色故作阿房宫賦有廬終南山下嘗有耕田著書志故作望故園賦雖未能深窺古人得與揖讓笑言亦或的的分其肰貌矣貞元四年來在大君子門下恭承指顧約束於政理簿書間永不執卷上都有舊第唯書萬卷終南山下有舊廬頗有水樹當以耒耜筆硯歸其間及齒髮尙壯冀有成立他日捧持一遊門下爲拜謁之先或希一奬今者所獻但有輕黷尊嚴之罪亦何所取伏希少假誅責生死幸甚

上令狐相公詩啟　元稹

某啟某初不好文章徒以仕無他歧强由科試及有罪譴棄之後自以爲廢滯潦倒不復以文字有聞於人矣曾不知好事者抉摘芻蕘無塵黷尊重竊承相公特於廊廟閒道某詩句昨又面奉教約令獻舊文戰汗悚懼歎忝無地某始自御史府謫官於外今十餘年矣閒誕無事遂用力於詩章日益月滋有詩千餘首其閒感物寓意可備矇瞽之諷達者有之詞直氣麤罪戾是懼固不敢陳露於人惟杯酒光景閒屢爲小碎篇章以自吟暢然以爲律體卑下格力不揚苟無姿態則陷流俗常欲得思深語近韻律調新屬對無差而風情自遠然而病未能也江湖閒多有新進小生不知天下文有宗主妄相倣斆而又從而失之遂至於支離褊淺之詞皆目爲元和詩體某又與同門生白居易友善居易雅能爲詩就中愛驅駕文字窮極聲韻或爲千言或爲五百言律詩以相投寄小生自審不能有以過之往往戲排舊韻別創新詞名爲次韻相酬蓋欲以難相挑耳江湖閒爲詩者或相倣斆力或不足則至於顛倒語言重複首尾韻同意等不異前篇亦目爲元和詩體而司文者考變雅之由往往歸咎於某嘗以爲雕蟲小事不足自明聞相公記憶累旬已來實懼糞土之牆庇於大廈使不復摧壞永爲板

築者之誤輒敢繕寫古體詩歌一百首一百韻至兩韻律詩又一百首合爲五卷奉啟跪陳或希構厦之餘一賜觀覽知小生於章句中櫟櫨榱桷之材盡曾量度則十餘年之遭迴不爲無所用心矣詞旨瑣劣冒黷尊嚴伏俟刑書不敢逃讓死罪死罪

文粹卷第八十五

業書之暇輒敢緒寫古體詩歌一百首一百韻至兩韻律詩又一百首合爲五卷奉敢跪陳或希構厦之餘一賜觀覽知小生於章句中櫟櫨樸桷之材盡曾量度則十餘年之道迴不爲無所用心矣詞旨頑劣冒黷尊嚴伏俟刑書不敢逃讓死罪死罪

文粹卷第八十五

文粹卷弟八十六

吴興　姚鉉　纂

書八 總一十一首

上宰相薦皇甫湜書　韋處厚

相公閤下伏以燕國張公說登翊聖明底寧泰階推心旁求虛己下納房太尉由布衣振起於門下張曲江自蓬戶發揮於嶺底而繼播休名襲佩相印克懋勳德不忝揄揚後之朝望因以興勸不多二公而推燕國者以雜居羣倫齊齒下輩崇構棟榦則杪忽方輕琢飾珪璋則蒙昧未耀器用既光持之於耳目之前垂後而无配名節兼大用之於身世之後希古而絕倫夫豈推策考步之爲乎藏往知來之兆乎葢合以尺牘片言申以考跡定貌靈異五行之鍾粹也文章心靈之造形也著誠居業本隱以之顯觀心擇術自麤以之微以是而求則坐決萬方之內立斷百代之下其術既定其道甚明竊見前進士皇甫湜年三十二學窮古訓詞秀人文脫落章句簡斥枝葉游百氏而旁覽折之以歸正囊六義以疾馳

諷之以合雅苟堅其持操不恐於嚣嚣之訕修其踐立不誘於藉藉之譽孟軻黜楊墨之心揚雄尊孔顏之志形乎旣立果於將然至於用心合論操豪注偁排百氏之雜說判九流之紛蕩摘其舛駮趨于夷塗徵會理軸道訓詞波無不蹈正超常曲暢精旨寘之石渠必有劉向之刊正羣言列之東觀必有孟堅之勤成漢史施之奏議必有賈誼之兼對諸生天旣委明於斯人苟回險其道未得按輪而驅則必混翼於天池滄精於沆瀣秉𥳑緘者從而道之固无及矣儻得遊門下信其才能相公得御公之名有摭奇之實後進幸甚舍人驂御賤役也猶能達埽門之事禰衡雕蟲薄技也猶能遇非常之薦今某辱奉恩顧實百於舍人之儔皇甫湜藴積才志固百於正平之量處厚百舍人之勢不能達百正平之心方竊恃私於門館明者觀之其恥非一也懼愚瞽不盡謹繕其書論賦合八首用卜可否輕瀆嚴威下情不任戰懼之至

薦所知於徐州張僕射書　李翺

翺再拜齊桓公不疑於其臣管夷吾信而霸天下攘戎翟匡周室亡國存荊楚服諸侯莫不至焉豎刁易牙信而齊國亂身死不葬五公子爭立兄弟相及者數世桓公之信於其臣一道也所信者賢則德格於天地功及於後世不得其人則不能免其身知人不易也豈惟霸者爲然雖聖人亦不能免焉帝堯之時賢不肖皆立於朝堯能知舜於是乎驩兜放共工流殛鯀竄三苗舉禹稷臯陶二十有二人加諸上位故堯崩三載四海遏密八音後世之人皆謂之帝堯焉向使堯不能知舜而遂尊驩兜共工之黨於朝禹稷臯陶之下二十有二人不能用則堯將不得爲齊桓公矣豈復得曰大哉堯之爲君也惟天爲大惟堯則之蕩蕩乎民無能名焉者哉春秋曰夏滅項孰滅之蓋齊滅之曷不言齊滅之爲桓公諱也春秋爲賢者諱此滅人之國何賢之爾君子之惡惡也疾始善善也樂終桓公嘗有繼絕存亡之功故君子爲之諱也繼絕存亡賢者之事也管夷吾用所以能繼絕世存亡國焉耳豎刁易牙用則

不能也向使桓公始不用管夷吾未有豎刁易牙爭權不葬而亂齊國則幽厲之諸侯也始用賢而終身諱其惡君子之樂用賢也如此始不用賢以及其終而幸後世之掩其過也則微矣然則居上位流德澤於百姓者何所勞乎勞於擇賢得其人措諸上使天下皆化之焉而已矣今天子之大臣有土地千里者孰有如執事之好賢不倦者乎蓋得其人亦多矣其所可求而不可取者則有人焉隴西李觀奇士也伏聞執事知其賢將用之未及而觀病死昌黎韓愈得古文之遺風明理亂根本之所由伏聞執事又知其賢將用之未及而愈爲宣武軍節度使之所留觀愈皆豪傑之士也如此人不時出觀自古天下亦有數百年無如其人者爲執事皆得而知之皆不得而用之翺實爲執事惜焉豈唯翺一人而已後之讀前載者亦必多爲執事惜之矣茲有平昌孟郊貞士也伏聞執事舊知之郊爲五言詩自前漢李都尉蘇屬國及建安諸子南朝二謝郊能兼其體而有之李觀薦郊於梁肅補闕書曰郊之

五言詩其有高處在古無上其有平處下顧二謝韓愈送郊詩曰作詩三百首杳然咸池音彼二子皆知言者也豈欺天下之人哉郊窮餓不得安養其親周天下無所遇作詩曰食薺腸亦苦強歌聲無歡出門卽有礙誰謂天地寬其窮也甚矣又有張籍李景儉者皆奇士也未聞閣下知之凡賢人奇士自以所負不苟合於世是以雖見之難得而知也見而不能知其賢如勿見而已矣知其賢而不能用如勿知其賢而已矣用而不能盡其才如勿用而已矣盡其才而容讒人之所間者如勿盡其才而已矣故見賢而能知知而能用用而能盡其才而不容讒人之所間者天下一人而已矣茲有二人焉偕來其一人賢士也其一人常常人也待之禮貌不加崇焉則賢者行而常常之人日來矣況其待常常之人禮貌加厚則善人何求而來哉孔子曰吾未見好德如好色者聖人不好色而好德者也雖好色而不如好德者次也德與色均好之又其次也雖好德而不如好色者下也最甚不好德而好色者窮

矣有人告曰某所有女國色也天下之人必將極其力而求之而無所愛矣有人告曰某所有人國士也天下之人則不能一往而先焉是豈非不好德而好色者乎賢者則宜有以別於天下之人矣孔子述易定禮樂刪詩敘書作春秋聖人也奮乎百世之上其所化之者非其道則夷狄人也而孔子之廟存焉雖賢者亦不能日往拜之以其益於人者寡矣故無益於人雖孔子之廟尙不能朝夕而事焉況天下之人乎有待於人而不能禮善人良士則不如無待也嗚呼人之降年不可與期郊將爲他人之所得而大有立於世與其短命而死皆不可知也二者卒然有一於郊之身他日爲執事惜之不可既矣執事終不得而用之矣雖恨之亦無可柰何矣翺窮賤人也直辭無讓非所宜至於此者也爲道之存焉耳不直則不足以伸道也非好多言者也翺再拜

薦齊孝若書　　令狐楚

某官至辱垂下問令公舉一人可管記之任者愚以爲軍中之書

記節度之喉舌指事立言而上達思中天心發號出令以下行期悅人意諒非容易而可專據竊見前進士高陽齊孝若字孝叔年二十四學必專授文皆雅正詞賦甚精章表殊健疏眉目美風姿外若坦蕩中甚畏愼執事儻引在幕下列於賓佐使其馳一檄飛一書必能應馬上之急求言腹中之所欲夫掇芳刈楚不棄幽遠況孝若相門子弟射策甲科家居君侯之化下且數年矣不勞重幣而獲至寶甚善甚善雄都大府多士如林最所知者實斯人也請爲閣下記其若此惟用捨高明裁之

薦樊衡書　　崔顥

夫相州者先王之舊都西山雄崇足是秀異竊見縣人樊衡年三十神爽淸悟才能絕倫雖白面書生有雄膽大略深識可以執時俗長策可以安塞裔藏用守道實有歲年今國家封山勒崇希代罕遇含育之類莫不踊躍況詔徵隱逸州貢茂異衡之際會千載一時君侯復躬自執玉陪鑾日覩此州名藩必有所舉當是舉者

非衡而誰伏願不棄賢才賜以甄奬得奔大禮升闘天朝衡因此時策名樹績報國榮家令當代之士知出君侯之門矣顒不勝區區敢聞左右俯伏階墀用增戰汗

與李敎書（敎當作勃） 田弘正

弘正珍重執事之心積二十餘年竟不獲自道於執事者徒懇懇終日常恐空老而無所師承固內自不安矣自前年朝謁得展拜執事於道路之間時苦牽事復略不得伸前時所畜之意彌有不足於心矣執事以古今仁義發爲懲惡勸善之心豈惟當世士君子所賴抑亦姬公孔子之心待執事而明白之矣每覽前後史策紀其所爲古之賢者有出無愧矣弘正近奉制書去魏就鎭自念寵榮已極能無憂惕之甚哉且自二寇亂常已來六十餘載矣河北之地敎化之所不行冀趙魏常山又河北之尤者日月積習遂爲匪人誠可悲矣寢食常念之以爲負經濟不羈之才者執事可以將朝廷之化移獷俗之心矣弘正庸虛輒不自意思君子降重爲邑人啟茅塞之心仰執事坐師氏之筵使鄙夫修擁篲之禮則向之羞姑可掩矣不審執事當俯而就之乎復恥而不就乎今輒虛上倅之位俟君子光臨古人有功成不居退得所詣者鄙人咏之久矣儻終不拒至誠之情幸甚

與段校理書 劉巖夫

人藏其心不可測度也搖舌於口誰不言仁誼哉淸濁相渾眞僞難辨今雖有提其肺腸以呈衆某必笑而不諒此亦不足怪也蓋僞者繁而眞者寡況憑區區文字而能取信於人邪所以某蘊蓄斯久不敢輕奮抑爲此也今幸因執事稍垂盼睞以不倫衆輩故得肆陳其愚惟賜詳之某七歲受敎誨始學箕裘迄今十六不見成熟性本慵惰强之惟艱不能勠力盡瘁服勤先聖然常謂男子生而懸弧示有事於四方固不得與兒女曹並列依違以沒世每欲奮廓埃壒破開濤浪聳翼雲漢垂名竹帛謂舒腕可取耳殊不知世道隘局九重阻深不可也又欲藏器池用洗滌他腸昧旦調

旨甘入夜吟編簡索聖賢意探情性源白雲霏空虛舟汎波塵機不張語默自任湜湜然得全其愚爲唐一閒人而家世清風祗承嚴訓不可也又欲掉長舌於公卿閒籧篨戚施以媚於人拱立下流阿旨從衆善者曰善不善者亦曰善巧言如流俾躬處休而愚僻已慣矯之惟病不可也三者之惑心不可屈志不可諧歧路難期歲月易老踐履之道倀然自迷執事濯纓清流敏古多識試與指其要路將鞭蹇以趨之某再拜

答人求文章書　　柳宗元

古今號文章爲難足下知其所以難乎非謂比興之不足恢拓之不遠鑽礪之不工頗纇之不除也得之爲難知之愈難爾儻或得其高朗探其深賾雖有蕪累則爲日月之蝕也大珪之瑕也曷足傷其明黜其寶哉且自孔子已來茲道大闡家修人勵刓精竭慮者幾千年矣其閒耗費簡札役用心神者其可數乎登文章之籙波及後代越不過數十人耳其餘誰不欲爭裂綺繡互攀日月高視於萬物之中雄峙於百代之下乎率皆縱臾而不克躑躅而不進力殫勢窮吞志而沒故曰得之爲難嗟乎道之顯晦幸不幸繫焉談之辨訥升降繫焉鑒之頗平好惡繫焉交之廣狹屈伸繫焉則彼卓然自得以奮其間者合乎否乎是未可知也而又榮古虐今者比肩疊迹大抵生而不遇死則垂聲者衆焉揚雄沒而法言大興馬遷生而史記未振彼之二子且猶若是況乎未甚聞著者哉固有文不傳於後祀聲遂絕於天下者矣故曰知之愈難而爲文之士亦多漁獵前作戕賊文史抉其意抽其華置齒牙間遇事蠭起金聲玉耀誑聾瞽之人徼一時之聲雖終淪棄而其奪朱亂雅爲害已甚是其所以難也間聞足下欲觀僕文章退發囊笥編其蕪穢心悸氣動交於胸中未知孰勝故久滯而不往也今往僕所著賦頌碑碣文記議論書序之文凡四十八首合爲一通想令治書蒼頭吟諷之也擊轅拊缶必有所擇顧鑒視何如耳還以一字示褒貶焉

上韓吏部書　林簡言

人有儒其業與孟軻同代而生不遂師於軻不得闢乎道閤下豈不謂之惜乎又有與揚雄同代而生不遂師於雄不得闢乎道閤下豈不謂之惜哉有習於琴者問其所習必曰吾師於某某所傳師曠之道也習於弧者問其所習必曰吾師於某某所傳濯孺子之道也脫二人未至於古然亦無敢是非者以所習有據故也儻曰吾自能非授受於人也必知其音俚音也其能庸能也嗚呼聖人之道與琴弧之道相遠矣而琴弧尙能自習之如此況聖人之道乎去夫子千有餘載孟軻揚雄死今得聖人之旨能傳說聖人之道閤下耳今人睎閤下之門孟軻揚雄之門也小子幸儒其業與閤下同代而生閤下無限其門俾小子不得闢其道爲異代惜焉

與常州獨孤使君書　崔元翰

月日崔元翰再拜上書郎中使君閤下天之文以日月星辰地之文以百穀草木生於天地而肖天地聖賢又得其靈和粹美故皆含章垂文用能裁成庶物化成天下而治平之主必以文德致時雍其承輔之臣亦以文事助王政而唐堯虞舜禹湯文武之代則憲章法度禮樂存焉皋陶伯益伊傅周召之倫則誥命謨訓歌頌傳焉其後衞武召穆吉甫仍叔咸作之詩並列于雅孔聖無大位由修春秋述詩易反諸正而寄之治而素臣邱明游夏之徒又述而贊之推是而言爲天子大臣明王道斷國論不通乎文學者則陋矣士君子立於世升於朝而不繇乎文行者則僻矣然患後世之文放蕩於浮虛舛馳於怪迂其道遂隱謂宜得明哲之師長表正其根源然後敎化淳矣閤下紹三代之文章播六學之典訓微言高論正詞雅旨溫純深潤溥博宏麗道德仁義粲然昭昭可得而本學者風馳雲委日就月將庶幾於正若元翰者徒以先人之緒業不敢有二事不遷於他物而其顓蒙樸騃難以爲工抗精勞力未有可採獨喜閤下雖處貴位而有仲尼誨人不倦之美亦欲

以素所論撰貢之閤下然而未有暇也不意流於朋友露其蚩鄙而乃盛見稱歎俯加招納顧惟狂簡何以克堪今謹別貢五篇庶垂觀察儻復褒其一字有踰拱璧之利假以一言若垂華衮之榮不宣元翰載拜

答韋中立書　柳宗元

宗元白辱書云欲相師僕道不篤業甚淺近環顧其中未見可師者雖嘗好言論爲文章甚不自是也不意吾子自京都來蠻夷間乃幸見取僕自卜固無取假令有取亦不敢爲人師爲衆人師尙不敢況敢爲吾子師乎孟子稱人之患在好爲人師由魏晉已下人益不事師今之世不聞有師有輒譁笑之以爲狂人獨韓愈奮不顧流俗犯笑侮收召後學作師說因抗顏而爲師世果羣怪聚罵指目牽引而增爲言詞愈以是得狂名居長安炊不暇熟又挈挈而東西如是者數矣屈子賦曰邑犬羣吠吠所怪也僕往聞庸蜀之南恒雨少日日出則犬吠予以爲過言前六七年僕來南二

年冬幸大雪踰嶺被南越中數州數州之犬皆蒼黃吠噬狂走者累日至無雪乃已然後始信前所聞者今韓愈既自以爲蜀之日吾子又欲使吾爲越之雪不亦病乎非獨見病亦以病吾子然雪與日豈有過哉顧吠者犬耳度今天下不吠者幾人而誰敢衒怪於羣目以召鬧取怒乎僕自謫過以來益少志慮居南中九年增腳氣病漸不喜鬧豈可使呶呶者早夜沸吾耳騷吾心則固僵仆煩憒愈不可過矣平居望外遭齒舌不少獨欠爲人之師耳抑又聞之古者重冠禮將以責成人之道是聖人所尤用心者也數百年來人不復行近有孫昌胤者獨發憤行之既成禮明日造朝到外廷薦笏言於卿士曰某子冠畢應之者咸憮然京兆尹鄭叔則怫然曳笏卻立曰何預我邪廷中皆大笑天下不以非鄭尹而快孫子何哉獨爲所不爲也今之命師者大類此吾子行厚而辭深凡所作皆恢恢然有古人形貌雖僕敢爲師亦何所增加也假以僕年先吾子聞道著書之日不後誠欲往來言所聞則僕固願悉

陳中所得者吾子苟自擇之取某事去某事則可矣若定是非以教吾子僕材不足而又畏前所陳者其爲不敢也決矣吾子前所欲見吾文既悉以陳之非以耀明於子聊欲觀子氣色誠好惡如何也今書來言者皆太過吾子誠非佞譽誣諛之徒直見愛甚故然耳始吾幼且少爲文章以辭爲工及長乃知文者以明道是固不苟爲炳炳烺烺務采色衒聲音而爲能也凡吾所陳皆自謂近道而不知道之果近乎遠乎吾子好道而可吾文或者其於道不遠矣故吾每爲文章未嘗敢以輕心掉之懼其剽而不留也未嘗敢以怠心易之懼其弛而不嚴也未嘗敢以昏氣出之懼其昧沒而雜也未嘗敢以矜氣作之懼其偃蹇而驕也抑之欲其奥揚之欲其明疏之欲其通廉之欲其節激而發之欲其清固而存之欲其重此吾所以羽翼夫道也本之書以求其質本之詩以求其恒本之禮以求其宜本之春秋以求其斷本之易以求其動此吾所以取道之原也參之穀梁氏以厲其氣參之孟荀以暢其支參之莊老以肆其端參之國語以博其趣參之離騷以致其幽參之太史以著其潔此吾所以旁推交通而以爲之文也凡若此者果是邪果非邪有取乎抑無取乎吾子幸觀焉擇焉有餘以告焉苟亟來以廣是道子不有得焉則我得矣又何以師云爾哉取其實而去其名無招越蜀吠怪而爲外廷所笑則幸矣

復杜溫夫書

宗元白兩月來三辱生書書皆逾千言意若相望以不對答引譽者然僕誠過矣而生與吾文又十卷噫亦多矣文多而書頻吾不對答引譽宜可自反而來徵不肯相見亟拜亟問其得終無辭乎凡生十卷之文吾已略觀之矣吾性騃滯多所未甚諭安敢懸斷是且非邪書抵吾必曰周孔周孔安可當也擬人必於其倫生以直躬見抵宜無所諛道而不幸乃曰周孔吾豈得無駭怪且疑生悖亂浮誕無所取幅尺以故愈不對答來柳州見一刺史即周孔之今而去我道連而謁於潮之二邦又得二周孔去之京師京師

顯人爲文辭立聲名以千數又宜得周孔千百何吾生胸中擾擾焉多周孔哉吾雖少爲文不能自彫斲引筆行墨快意纍纍意盡便止亦何所師法立言狀物未嘗求過人亦不能明辨生之才致但見生用助字不當律令惟以此奉答所謂乎歟邪哉夫者疑辭也矣爾焉也者決辭也今生則一之宜考前聞人所使用與吾言類且異愼思之則一益也庾桑子言藿蠋鵠卵者吾取焉道連而謁於潮其卒可化乎然世之求知音者一遇其人或爲十數文卽務往京師急日月犯風雨走謁門戶以冀苟得今生年非甚少而自荆來柳自柳將道連而謁於潮途遠而深矣則其志果有異乎又狀貌嶷然類丈夫視端形直心無歧徑其質氣誠可也獨要謹充之爾謹充之則非吾獨能生宜勿怨亟之二邪以取法時思吾言非固拒生者孟子曰余不屑之教誨也者是亦教誨之而已矣

某白

文粹卷第八十六

吳興 姚鉉 纂

書九 總六首

自薦

上張燕公書 房琯

竊惟當今主英臣誠海平天清干相國者更言朝廷之遺闕黔黎之艱阻妄矣琯直以有詞不自明徵積心無與消散此亦一夫不獲願就相門陳之或議相門重深賤士罕及進言不少非入則廢退而復念止于旬時若借人爲容則恥殊特達欲持情徑往則懼致忽遺思所以自奇圖左右見異僣用舊禮獻此琬琎冀贊列得啟其書書竆思見其人矣至有輕好行怪易爲犯德琯非敢如此也願左右明之琯嘗聞既往布衣之士亦賤者也而一人下之三公崇之將欲分其賢愚而係其理亂琯自料必不能有損益於盛朝徒亦形似英哲之蹤辱累琎璋之德希左右以公選琯因以私進所私者則敢終而言之琯幼而先相國棄代委翳於蓁蕪之下因物遂遷與農者莫辨不忍竆厄然後以菑穫爲懷將祇若遺謀乃發前言筐篋有相公述作焉有先君鑒誡焉約之立言依以扶信若赴古道則適若逢今人則乖或謂之非或謂之是求我哲匠擊此困蒙顧此身在下流無聞上士未足爲先君之嗣不可見先君之友況有貴賤之異爲之隔闊乎深惟達音者希恐不可再得忽不知相國之富貴如此琯之貧賤又如此期相國乃曰人以道義求我我不當以貴賤隔之借如宣父有相國之貴寵拒游夏之

文粹卷第八十七

吳興 姚鉉 纂

書九 總六首

自薦

上張燕公書 房琯

上裴度相公書 下闕

上鄭相公書 闕名

上宰相書 韓愈

後十九日復上書

後二十九日復上書

徒歟夫其此心千載一用豈瑨也當之又見禮經有難進易退者戒貪也起人來學者勸道也瑨趣仁者而久未行何乎衣惟素褐乘非車馬閽人斥之馭者排之長衢高門驟拜左右則近於論訴豈聞道之士乎故獻玉貢書以先其意或垂善誘使得登其門假以溫和之顏賜其清閒之宴大觀宗廟旁見百官上諮爲人之紀綱次及作文之利害然後陳百一之誠諷南山之詩醉德寫誠俯而告退瑨之願也未敢忘也若其取於是日許時入奉一歲之內得再廁法曹舍人聞詩禮爲人子畢矣豈有恨哉至如笥有衣裳天有秩序聖君在上何人不欲如瑨今日未敢生心儻見露之時爲左右所器亦願起自燕國門下令衆人別意瞻矚也貪竭鄙志不覺多言妨塵宴私憂危失措儻左右垂無窮之惠降不測之禮錫數字之答加一介之使則相國保下士之譽小人獲見知之榮光照微軀價傳多士輒飾瑣貌以俟軒車

上裴度相公書　元稹

通州司馬元稹謹再拜獻書相公閣下日者相公之掾洛也稹獲陪侍道途不以庸妄諮及章啟則竊聞閣下以文皇敕起居郎書居安思危四字於笏爲至戒今陛下當晉武平吳之後閣下即周公東征而還安孰甚焉思豈可廢況今四郊並開掃門之賓競至碣石餘沴束身之款未堅則閣下推食握髮之意何遽移於高枕擊鐘之逸乎且得人則理之談實老生之常語至於切近猶飢者欲食不可惡熟俗而不言也若稹之末學淺見又安敢引喻古昔於閣下獨憶得近日故裴兵部之爲人也甄辨精淨號爲名流及其爲相也搆置羣材使梁棟榱桷咸適其用人頗隘之至於激濁揚清亦無所愛悋是以秉國不累月閣下自外寮爲起居郎韋相自巴州知制誥張河南自邕幕爲御史李西川自饒州爲雜端密勿津梁之地半得其人如故韋簡州纁及稹等拔於疑礙置於朝行者又十數然後排異已之巨敵引腹心之至交當時一二年間幾至於奸無蹊隧而正有根本矣及山東沴作上以兵事諮之則

對以禁暴息人之外不能有以佐震耀是以尊俎之謀不專於廊廟蓋廉善精微之士素熟於心胸而洗駕乖桴之材未嘗量校於左右也比於閤下今日之雄材大略爲短矣然而卽世之後雖無李嚴廖立之思而十年之內備將相公卿者多其引拔鳴呼子皮叔牙之功斯不細矣昨者閤下方事淮蔡獨當鑪鎚內蘊深謀外排羣議始以追韓信拔呂蒙爲急務固非叔孫通薦儒之日也今殊勳既建至化方行亦當念魏鄭公守成之難而三復文皇帝思危之詔乎以愚揆之欲人之不怨莫若遷授之有常欲人之竭誠莫若救拯於焚溺何謂有常而不怨以省言之由後行爲前行以臺言之自察院轉殿院苟不如是則怨矣苟能如是何怨哉何謂救拯而竭誠積又不敢移之他人借如小生之庸且昧也固不及班行之中輩又敢自讓於郎吏之末者邪向使元和中一年爲拾遺二年爲補闕不三四年爲員外又三四年爲正郎則宰物者雖朝許之以綸誥暮許之以專席厚則厚矣遽責其隳肝瀝膽同斷養之用力亦難哉及夫爲計不良困於溝瀆者十年矣苟有舒其胼攣罝之趨走者又不敢愛氣力悋心肝於和扁也是猶黿鼉之有水鳥獸之有林何嘗愧於水木苟或縶而籠之鎖而檻之其或放之投之者則必啁噍顧慕以報之報其免於難也今天下病溝瀆困籠檻思閤下藥之養之投之放之者豈特小生而已哉且曩時之窒閤下及小生者豈不以閤下疏有居安思危之字爲抵忌對上以河南掾尉非貶官爲說乎向非裴兵部一二明之則積終老於貧賤固其宜也儻閤下猶二三年遲迴於外任則少陽邀望之際固未得奉煌煌之命以周知其巢穴矣當元濟討除之始又安能定已成之策於上前排未立之疑於衆口哉今天下能不有萬一於閤下之才略而猶跼足帖脅私自憐其有志力哉況當今陛下在宥四海與人更始特降含垢棄瑕之書且授隨材任能之柄於閤下閤下若能蕩滌痕累洞開嫌疑棄仇如振塵愛士如救餒使恃才薄行者自贖於煩辱以能見忌者驅力於通衢上以副

聖君咸與惟新之德亦以廣閣下賞善救人之道使千百年外謂閣下與裴兵部爲交相短長亦足爲賢相矣未盡善也且夫當陛下肇臨宇宙之初與得天久照之後愈光明矣安有裴兵部拔羣材於前則盡行閣下拔羣材於後則盡廢以閣下沐浴恩波之始與徽猷克壯之秋愈汪洋矣又安有救裴寰之罪换禹錫之官則盡易振天下之窮滯行渙汗之條目則爲難稹雖至愚未敢然也稹自十年遭罹多故每欲發書故舊尚不敢盡陳其情豈不知干宰相有不測之罪邪熟自忖之與其瘴死蠻夷自題不遇之牓比夫塵穢尊重伏俟危言之刑無異也聊因所善緘獻鄙誠翹企刑書不敢逃讓不宣稹頓首

上鄭相公書　歐陽詹

將仕郎守國子監四門助教歐陽詹謹齋沐緘書再拜遣隸子弟獻於相公中衢之車下庶及乎閣下當今主上聖哲輔相賢明可行已行可止已止其或未行未止非不知也非不念也未可行而

未可止也某愚蒙欲陳所見則在知之之後念之之内矣亦何敢言今斯有言自言而已人有百行脩萬事精内扣潛鳴外聽无聲非不願用而人不用非不願旌而人不旌雖和平之代至老至死者相公以爲有之乎某將十有十百有百千有千也何以若知自近之耳某嘗讀論語得孔子曰古之學者爲己今之學者爲人傷時之學者不由所學矜所學也某雖不敏傷竊如之況稟羔羊鴻雁之性未貧訓導而敬順和合乎教者十或四五絜身畏人負拙自守始以孝悌忠信約禮從儀人生合爾博聞遊藝行義修辭人生固然殊不以有爲而爲也幸屬昭代以此官人敬趨條目遂希銓擇五試於禮部方售鄉貢進士四試於吏部始授四門助教（某爾應博學宏詞不售一平選被駮又平選始授四門助教也）夫人百行庶幾萬事留心不仕則已仕則冀就高衢遠途展其素蓄垂名于後代播美於當時匪徒利斗粟希片帛救寒暑給朝夕也所以利斗粟希片帛者不能無之其將百行庶幾萬事留心之流有所分别也某非斯人之徒歟其

人生二十八年矣名不著於農工商賈之販其業則讀書著文歌頌堯舜之道雞鳴而起孜孜焉亦不為利其所讀皆聖人之書楊墨釋老之學無所入於其心其所著皆約六經之旨而成文抑邪與正辨時俗之所惑居窮約亦時有感激怨懟奇怪之辭以求知於天下亦不悖於教化妖淫諛佞譸張之說無所出於其中四舉於禮部乃一得三選於吏部卒無成九品之位其可望一畝之宅其可懷遑遑乎四海無所歸恤恤乎飢不得食寒不得衣濱於死而益固得其所者爭笑之忽將棄其舊而新是圖求老農老圃而為師悼本志之變化中夜涕泗交頤雖不足當詩人孟子之謂抑長育之使成才其亦可矣教育之使成才其亦可矣抑又聞古之君子相其君也一夫不獲其所若已推而內之溝中今有人生七年而學聖人之道以修其身積二十年不得已一朝而毀之是亦不獲其所矣伏念今有仁人在上位若不往告之而遂行是果於自棄而不以古之君子之道待吾相也其可乎寧往告焉若不得

志則命也其亦行矣洪範曰凡厥庶民有猷有為有守汝則念之弗協于極弗罹于咎皇則受之而康而色曰余攸好德汝則錫之福是皆與善之辭也抑又聞古之人有自進者而君子不逆之矣曰余攸好德汝則錫之福之謂也抑又聞上之設官制祿必求其人而授之者非苟慕其才而富貴其身也蓋將用其能理不能用其明理不明者耳下之修己立誠必求其位而居之者非苟役於利而榮於名也蓋將推己之所餘以濟其不足者耳然則上之於求人下之於求位交相求而一其致焉耳苟以是而為心則上之道不必難其下下之道不必難其上可舉而舉焉不必讓於其自舉也可進而進焉不必廉於其自進也抑又聞之上之化下得其道其勸賞不必偏加乎天下而天下從焉因人之所欲為而遂推之之謂也今天下不由吏部而仕進者幾希矣主上感傷山林之士有遺逸者屢詔內外之臣旁求儒士于四海而其至者蓋闕焉豈其無人乎哉亦見國家之不以非常之道禮之而不來耳彼之

處隱就閒者亦人耳其耳目鼻口之所欲其心之所樂其體之所安豈有異於人乎哉今所以惡衣食窮體膚麋鹿之與處猨狖之所與居固自以其身不能與時從順俯仰故甘心自絕而不悔焉而方聞國家之仕進者必舉於州縣然後升於禮部吏部試之以繡績雕琢之文考之以聲勢之逆順章句之長短中其程式者然後得從下士之列雖有化俗之方安邊之畫不繇是而稍進萬不有一得焉彼惟恐入山之不深入林之不密其影響昧昧唯恐聞於人也今若聞有以書進宰相而求仕者而宰相不辱焉而薦之於天子而爵命之而布其書於四方枯槁沈溺魁閎寬通之士必且洋洋焉動其心峩峩焉纓其冠于于焉而來矣此所謂勸賞不必徧加乎天下而天下從焉者也因人之所欲爲而遂推之之謂者也伏惟覽詩書孟子之所指念育才錫福之所以考古之君子相其君之道而忘自進自舉之罪思設官制祿之故以誘致山林逸遺之士庶天下之行道者知所歸焉小子不敢自幸其常所著文輒採其可者若干首錄在異卷辱賜觀焉干黷尊嚴伏地待罪愈再拜

後十九日復上書

二月十六日前鄉貢進士韓愈謹再拜言相公閤下向上書及所著文後待命凡十有九日不得命恐懼不敢遁逃不知所爲迺復敢自納於不測之誅以求畢其說而請命於左右愈聞之蹈水火者之求免於人也不惟其父兄子弟之慈愛然後呼而望之也將有介於其側者雖其所憎惡苟不至乎欲其死者則將大其聲疾呼而望其人之救之也彼介於其側者聞其聲而見其事不惟其父兄子弟之慈愛然後往而全之也雖有所憎惡苟不至乎欲其死者則將狂奔盡氣濡手足燋毛髮救之而不辭也若是者何哉其勢誠急而其情誠可悲也愈之強學力行有年矣其愚不惟道之險夷行且不息以蹈於窮餓之水火其既危且亟矣大其聲而疾呼矣閤下其亦聞而見之矣其將往而全之歟抑將安而不救

之歟有來言於閤下者曰有觀溺於水而爇於火者有可救之道而終莫之救也閤下且以爲仁人乎哉不然若愈者亦君子之所宜動心者也或謂愈曰子言則然矣宰相則知子矣如時不可何愈竊謂之不知言者誠其才能不足當吾相之舉耳若所謂時者固在上位者爲之耳非天之所爲也前五六年時宰相薦聞尚有自布衣蒙抽擢者與今豈異時哉且今節度觀察使及防禦營田諸小使等尚得自舉判官無間於已仕未仕者況在宰相吾君所尊敬者而曰不可乎古之進人者或取於盜或舉於管庫今布衣雖賤猶足以方於此情隘辭蹙不知所裁亦惟少垂憐察焉愈再拜

後二十九日復上書

三月十六日前鄉貢進士韓愈謹再拜言相公閤下愈聞周公之爲輔相其急於見賢也方一食三吐其哺方一沐三握其髮當是時天下之賢才皆已舉用姦邪讒佞欺負之徒皆已除去四海皆

已無虞九夷八蠻之在荒服之外者皆已賓貢天災時變昆蟲草木之妖皆已消息天下之所謂禮樂刑政教化之具皆已修理風俗皆已敦厚動植之物風雨霜露之所霑被者皆已得宜休徵嘉瑞麟鳳龜龍之屬皆已備至而周公以聖人之才憑叔父之親其所輔理承化之功又盡章章如是其所求進見之士豈復有賢於周公者哉不惟不賢於周公而已豈復有賢於時百執事者哉豈復有所計議能補於周公之化者哉然而周公求之如此其急惟恐耳目有所不聞見思慮有所未及以負成王託周公之意不得於天下之心如周公之心設使其時輔理承化之功未盡章章如是而非聖人之才而無叔父之親則將不暇食與沐矣豈特吐哺握髮爲勤而止哉惟其如是故于今頌成王之德而稱周公之功不衰今閤下爲輔相亦近耳天下之賢才豈盡舉用姦邪讒佞欺負之徒豈盡除去四海豈盡無虞九夷八蠻之在荒服之外者豈盡賓貢天災時變昆蟲草木之妖豈盡銷息天下之所謂禮樂

刑政教化之具豈盡修理風俗豈盡敦厚動植之物風雨霜露之所霑被者豈盡得宜休徵嘉瑞麟鳳龜龍之屬豈盡備至其所求進見之士雖不足以希望盛德至比於百執事豈盡出其下哉其所稱說豈盡無所補哉今雖不能如周公吐哺握髮亦宜引而進之察其所以而去就之不宜默默而已也愈之待命四十餘日矣書再上而志不得通足三及門而閽人辭焉惟其昏愚不知逃遁故復有周公之說焉閣下其亦察之古之士三月不仕則相弔故出疆必載質然所以重於自進者以其於周不可則去之於魯於魯不可則去之於齊於齊不可則去之宋之鄭之秦之楚也今天下一君四海一國舍乎此則夷狄矣去父母之邦矣故士之行道者不得於朝則山林而已矣山林者士之所獨善自養而不憂天下者之所能安也如有憂天下之心則不能矣故愈每自進而不知愧焉書亟上足數及門而不知止焉寧獨如此而已惴惴焉惟恐不得出大賢之門下是懼亦惟少垂察焉瀆冒威尊惶恐無已

愈再拜

文粹卷第八十七

文粹卷弟八十八

吳興　姚鉉　纂

書十　總一十五首

自薦

上王僕射書　盧肇

天不自明垂之以日月聖人不自理付之以公卿日月所以成天之文者無私照故也公卿所以成人之文者無私心故也爲天之明行帝之德是公卿與日月同體者也然日月未嘗私晝夜以序明晦以時人生而戴之罔無驚爆耳目延頸企踵而望之也及碩人重德恢宏綱於將絕時人莫不拭眥假聽徯其聲明矣如是則又雖與日月同體與人望之心過之也伏以文物之勢業乎將頹聖人一旦惕然思高祖太宗經天緯地之勤基美於千萬世其術祇在乎人文之中人文之中則不踰擇士之賢否也故度天下之

德莫重於僕射計天下之學莫深於僕射觀天下文章莫富於僕射兼是三美然後詢於廟堂之上使諮於僕射俯而莅之其實不啻若移泰山之重以鎮之也夫如是則預於貢士者何敢造次而進哉某本孤賤生江湖間自知書已來竊有微尚窺奧索幽久而不疲垂二十年以窮苦自勵伏念當太平之辰不預兵役農商之伍得盡其志則將欲發其身大其家盡心於明時以竟其歲也乃志望士林之中及來輦下再試皆黜觀望於時而揆於事至於得之者未必盡賢失之者未必盡愚意謂隨天下貢士且進且退可以無咎今乃不意遇聖君賢相以僕射爲日月照臨多士莫不屏氣懾息人之自咎若抱罪戾其在王門公族少讀文學尚爲憂惕啟僕射之德振於文機其必得天下苦心之人而進之然後優游盛明爲臯爲伊以茂生植者也不然豈至於是逾二十載復臣之乎是知天啟德於僕射在此時也某於此時若不得循牆以窺則是終身無竊望之分也敢布愚拙伏惟特以文之光明而俯燭之幸甚幸甚并獻拙賦一首塵冒尊嚴無任悸慄之至

上冢官書　沈亞之

某伏念傑木之生大長越倫足谷肩山而大谷不足以室其根長霓不足以帷其華天之所惜其體若此豈不使皆獲其所安而輳乎用及其不偶也徒見摧風枯霜蒙煙老雲而已夫尋常之材也榦不丈枝不尺而葉縱其根不能躪土之膚生不十年各獲斤斧之製以就用何者受乎庶氣故易長于極成爲衆用故易售于工其在林居相扶策木意自得仰視傑木不見其末相與笑其凡枏而無用及一旦遭遇得升賢工之所思採而飾之跨二礎而百棟賴負若是脩材巨榦非易自致也賢工良匠非易能容也今閤下抱多能之强德動與智諧可謂遭時也負難戴重橫於所安可謂得任也如能察出類之材異日處之然後次衆材備於百常如此則賢工之名可以自有古者賢士之居位也沐垢不終湯充飢不竟飯中輟而起畏日不足是皆採善於衆能思致其爵養良士之

道也今則不然爲公卿大臣者必嚴居深視以自養重其所進者惟柔氣緩言贊視而巧諛然後謂之厚德故以多識爲誣博知爲强遷善爲流立節爲訐是皆斥而莫得稱也及一日操尺墨樞物機茫乎不知其所從使左右庸胥因得侮而役之彼非不欲自勝也葢事業之所報固然今西戎邀嫁移兵寇邊仍歲不已山東盜卒殺辱守吏未聞其歸誠可嗟也卽如主上求其往而爲理者閣下度之公卿大臣而誰擇乎某誠不肖七歲再官不逾九品之列陶心研慮讀古臣智輔之所以爲化至於樂慕賢哲亡其私而不回此則得之於性矣酌巖賢旅聖之所以立言至於書得失備理亂敘往紀來此則得之於文矣學名將霸帥之所以整暴亂至于奮旅陳師圜會百變之狀離如驚鳥合如凝雲此則得之於師矣是三者皆業於根然後緒其末非無所望也亦思願爲一從材戴橫傑之梁立巨礎之上顧世持斧之士安足以摹哉某聞戎鏡包陽當日而矚之則能延燧與火處陰而視之何異一規之幽銅耶

而誰寤者而誰寤者夫氣應則生某亦蒙矚於光下以其所抱書詞多鄙又不盡志忤觸清嚴罪無所逭謹再拜

上座主書　　劉軻

軻今月十日祇奉牓限納雜文一卷又聞每歲舉人或得以書導志軻惟顓魯狃隸山野未熟去就悚惶惕息伏惟寬明少冥心察納軻伏見今之舉士競取譽雌黃之口而知必也定輕重於持衡之手雖家至戶到曾不足裨銖兩苟自低昂已定乎徇己者之論是私己於有司非公有司於己也軻也愚敢不以是規軻本沛上耕人代業儒爲農人家天寶末流離于邊徙貫南鄙邊之人嗜習翫味異乎沛然亦未嘗輟耕舍學與邊俗齒且曰言忠信行篤敬（一作必果）雖夷貊行矣故處邊如沛焉貞元中軻僅能執經從師元和初方結廬于廬山之陽日有芟夷畚築之役雖震風淩雨亦不廢力耨或農圃餘隙積書窗下日與古人磨礱前心歲月悠久寖成書癖故有三傳指要十五卷十三代名臣議十卷翼孟子三卷雖

不能傳於時其於雨曜無私之燭不爲墮棄矣流光自急孤然一生一日從友生計裹足而西京邑之大居無環堵百官之盛親無瓜葛矣夫何能發聲光于幽陋雖不欲雌黃者之所輕重豈不欲持衡者之所斤銖耶此軻所以中夜憤激願從寒士齒庶或搴芳入幽不以孤秀不擷揀金于沙不以泥土不取閤下自謂此心宜如何答也嘗讀史感和璞之事必獻不至三刖不至再必獻不至再殆幾乎無刖矣伏荷閤下以清明重德鎮定羣慮衡鏡在手豈妍輕重之分咸希一定俾退者無屈辭進者無幸言夫如是非獨斯四輩之望而已矣亦宜實公器而荷百祿豈祇區區世人而已哉軻也生甚微末甚乎魚鳥魚鳥微物猶能依茂林清泉以厚其生矧體乾剛坤順之氣不能發蹟於大賢人君子之門乎軻再拜

上李侍郎書　王昌齡

昌齡拜手奉書吏部侍郎李公座右夫道有一昌齡有心明公有鑒三者定矣而又元氣潛行羣動相鼓乘時則利遇難則否斯亦分於數矣今或者譎觚旁礴以爲已任發心不中中無不通雖大愚之人猶知不可況賢智之士乎茲數者如昌齡之心非不知也明公之鑒非不明也惟明公能以至虛納惟昌齡敢以無妄進故未便絕意願就執事陳之若明公以爲隅曲置之度外則昌齡未識定分爲向時之客乘時不利動則遇否至虛不納無妄不進是使天下之士永絕望於明公矣豈獨小人哉初聞明公克舉大體不佝小節竭智附賢貫道選數亦已確鎮外物翕然有歸於是窮居獨閒未用之士將遁幽貞千里未審明公何以待之夫夷吾窮困樂穀羈旅孔明躬耕子房養志此四賢未遇之時則乃不遇意固不能俛首跼步與衆人爭得失於吏曹之門就使四賢生於明時無所服用則下士之不若也亦當與衆人四方而來竦於明公之門未審明公何以處之伏惟明公居堂上之陰知日月之次觀堂下之士知四方之賢若者終不自若也伏惟明公熟察焉天生賢才必有聖代用之用之於天子先自銓衡則明公主司天下開

塞天下之所由也可不愼之嗟乎持衡取士專在文墨固未盡矣況文章體勢其多面焉苟不相容則大迂闊一時不合便卽棄之伏恐傷鉤賾之明結志士之怨吁可畏也又有恢恢無明精誠洞物大不施小屈於章句蓋屈寸而伸尺小枉而大直君子行焉儻斯人也木訥自守默然而退明公不以爲賢是小人敢正顏色鼓喉舌欲伸大直於明公能容之否所爲直者如何明公若以爲羣區一舉自有常式富貴爲懷會莫下視則明公何以異近代合古人匪惟高賢雅量在小子亦知之矣明公昔未居此任豈不曰伊人也棄正任巧我爲宗臣必將革之操持升降正在今日伏願密運心鏡俾無逃形振拔非常以資天軸乃明公論則振拔者亦膺摩赤霄必將逆進其類以光王國自邇及遠其誰曰不當任乎一爲元軀自可數千百年不衰其政矣敬之無任使小人之口波盪振駭君子閭閻以俟賢俊昌齡久於貧賤是以多知危苦之事天下固有長吟悲歌無所投足天工或闕何惜補之苟有人焉有國

焉昌齡請攘袂先驅爲國士用芟棘之務最急之治實所甘心昌齡豈不解置身靑山俯飲白水飽於道義然後謁王公大臣以希大遇哉每思力養不給則不覺獨坐流涕啜菽負米惟明公念之以下疑有脫文直科不得不謀其始夫惟明公深念之投報徇義非一言所能盡也昌齡常在暇日著鑒略五篇以究知人之道將俟後命以黷淸塵

上中書權舍人書　陳岵

春雷作龍蛇不安於蟄戶賢人用君子思奮於康衢時至氣動而不知其所以然也是以小生區區願有所陳伏以今之獻書者語取士之得失揚盛烈之弘懿多矣刀尺之下固當有在小子淺陋自陳所抱曾不追意何敢妄有稱謂以成繁文哉然而志苦者聲必哀氣直者辭必端苟察之不惑聽之不失則伯牙不碎琴卞和不泣玉矣閣下宗文祖德名全道著執贄循牆如岵者固多焉門屛故人非敢自適前者病中求拜輒以愚弱自疑猶記與善謂遇

長者之眷固無戲言孤負知見跼地無措衣化京塵星霜七周分將委運方理歸策適有一外（闕）舉解至翎羽之類志氣猶存欲就明試不能自決友人樊生之見謀曰足下與元宗簡不與他解就試明主足下其審處之李（以下疑有脫譌）行舉者不然使吾子爲主司如君之負辱者將爲伸之乎岾曰伸之行舉日就試可也有姚袞曰夫道窮而心泰者神與之俗變而志定者義歸之時之通塞非智力所及吾子處否若泰不改其守久矣今主司方以公用駭拘俗吾子賢淮陰之辱非韓信罪也不賢損益何有於衆人哉岾曰惟欲聞後命矣嚴考功之納樊衡也以爲取衡難得衡無後悔黜衡易失衡有遺恨故開一人之數以容之人到于今不謂衡忝一第而謂嚴得主司求人之義也伏想閣下虛求當甚於嚴也小子焉敢有希於衡哉懼畏不敢多陳死罪死罪

上中書張舍人書　　邵悅

某白一昨猥辱面奉徵及玫瑰弊廬所有敢不供上輒獻數本惟恕其非多此物嘗開花明媚可置之近砌芳香滿庭雖萱草忘憂合歡蠲忿無以尚也夫花卉以明媚芳香之故閣下不憚煩以採掇則士之有才有藝者必將盡力而搜求人人相賀皆有望於明公矣某猶慮花卉移植之際或有夭閼其生詢樹藝之叟求長養之術叟曰以吾鄙見先務及時第能當春徒之度地居之順其陰陽遂其成性根莖未固擁之以沃土枝葉未茂溉之以寒泉則扶疏鬱映紅芳可得而翫矣觀叟所爲其理信然然誠以擁腫之姿願附於玫瑰之末擁土溉泉非明公而誰良時在茲無或遐棄不宣某頓首

上李諫議書　　沈亞之

月日將仕郎守祕書省正字沈亞之再拜貢書諫議閣下某常有類混之悲不能自致其拙也甚矣故祥禽之類凡羽而凡羽混之神芝之類腐菌而腐菌混之嘉蕙之類梦芻而梦芻混之非獨混之而已亦且蒙其芳而奪其美何則善寡而凡多故也況世俗之

目幾能於此而別白之者寒暑易轉是皆非金石安能自永於時哉一失其顧以爲類混則終從風雨而老矣可不痛之輒假所喻願賜終說幸甚楚王之鼎食十有餘年而王體不肥左右者懼王曰膳者不能味吾之鼎也國人亦曰膳者不能味王之鼎也更逐膳者凡十輩益不味王恥乃令國中曰有能使吾鼎之味調和以安吾體者寡人爵之三公楚里之處士賢聞之應令而起耆老屬袖而送之曰往矣郎鼎也然王曰仰味於君君何以塞之對曰王必以鼎授我我力甚優夫治鼎之職約水燥薪爨火以觀文武之用而已其轃味則有椒桂梅醯鹽醢之品在吾總衆力而調於心此其功也王之體不肥何待楚老曰斯固也夫眞僞雜鬻循戶而唱祈其售者僞十九焉是椒桂之質類而馨辛不爲也梅醯之質類而苦酸不爲也鹽醢之質類而鹺鹹不爲也皆具而不爲滋一且集而會之鼎則必空虛矣君焉能總是之力以成於王也前膳之所以得逐者由庶品之任非其任歟然則君之明足以察僞惑君之智足以區物才誠能儲其眞蓄其當以給其用則後之辛馨之才醯醢之具必越海逾陸而趨君之指矣斯百代之準也豈但肥楚王之體然今閣下旣以游泳道德蓄儲助味之具必有素也然紛紛之眞僞而淸悟能無勞乎小子誠不足奉應對不得謁見久矣願因左右者召稍延于前獲進所語幸甚伏惟降察不皐謹再拜

上雍州高長史書　李嶠

八月十五日三原縣尉趙國李某謹再拜奉書長史明公執事嘗聞諸師曰易稱君子或出或處蓋君子以時消息從道汙隆故其處則閉重玄坐虛白龍盤鳳峙桂郁蘭芬下生川嶽之氣上發星辰之象其出則摛景光吐文質風雲相召日月爭明撫八翼而登太階提七星而酌元氣夫然故終始亨吉進退利貞嶠當休明之期權去就之分滄州密邇未徵嘉遁之爻閶闔洞開不列亨衢之步顧嘗希仕尺寸徇祿斗升胥僕之與鄰奔走之爲役婆娑塵垢

之下踸踔藩籬之際區區短懷亦云可見矣抑貧賤實須（一作難）降
志顛沛不可違仁是用終夜九迴一朝三省懼斯言之或玷將細
德之為累至於有文無害之政得玉喪寶之談服以周旋庶乎聞
達然以守其愚直任此拙難入門無為言之侶出谷罕求聲之援
生平琴曲惟以下調相哀疇昔朋遊詎有中人見識誠不幾乎幽
蘭芳蕙實有愧乎枯木朽株自獲忝微班預聞賤事佩紛綸之雅
訓承肅穆之清塵有日矣亦嘗越嚴序趨下風希口吻之芳音候
眉宇之陽氣而堂上百里廢明無撤器之因門下三千毛遂乏處
囊之地雖願披心膽進款誠雲漢逾邈風流遂遠夫客果有能不
孤彈劍之食士實難盡誰知執矢之工此昔人所以慷慨於神交
殷勤於知己者也伏惟君侯日門翔照天池撫翼廚開銘鼎庭列
歌鐘吐疊疊之言植堂堂之望河陽春樹開四照於詞林洞庭秋
水清九流於心鏡若夫標置度量權衡物理蕭公畫策不探弘遠
之規孟子持籌未極精微之數粵若登金闕排玉堂利見九五差

蹤二八或奏昌言伏丹墀而心啟乃迴天獎憑紫樞而目送南宮
祕署出入生光西京神輔指麾成俗固已羽儀振鷺黼藻羣龍者
焉下走家本燕南君侯昔臨趙北負書懷刺方致維桑之禮賁帛
翹車幸枉錯薪之薦愷悌之慈允洽敷腴之好不忘洎解褐中林
易農下邑希光東壁猶是貧女舊鄰激水西江非復達人前惠鄙
賤之質未改提獎之恩已別昔時囊桂早因得地而生今茲桃李
翻以無言受棄豈非時亨其會命塞其通者乎今餘秒無幾解巾
有日便當斂襟初服收拙後塵何去何從龍龜策之臧否自開自
落任天地之榮枯宜其卷舌吞聲滅影削蹟不干執事之紀無煩
左右之聽徒恨勤誠累歲而丹懍不通服道彌年而白頭成謗所
以低徊歧路杼軸蓬心搦翰操觚而不能自已者也夫引往納來
江海所以深廣損上益下乾坤所以光大是故虛己之求有屈位
而申道汎接之愛或開懷而受物若乃崇峻宮垣扃鑰閽與使閽
睇之目隔逾深而照窮仰止之心限彌高而望絕御賓以之失位

譬客以之無門將恐慕義之夫思爲黃鶴之舉企景之客不作眞龍之遊願君侯垂古人之風申國士之分假其白璧之契接以黃金之言不忍當年要之卒歲則重如熊掌府中饒取義之賓輕若鴻毛節下有徇生之士矣敢薦狂妄惟君侯擇焉

與韓荆州朝宗書　　李白

白聞天下談士相聚而言曰生不用萬戶侯但願一識韓荆州何令人之景慕一至於此豈不以周公之風躬吐握之事使海內豪俊奔走而歸之一登龍門則聲價十倍所以龍蟠鳳逸之士皆欲收名定價於君侯願君侯不以富貴而驕之寒賤而忽之則三千之中有毛遂使白得穎脫而出即其人焉白隴西布衣流落楚漢十五好劍術徧干諸侯三十成文章歷詆卿相雖長不滿七尺而心雄萬夫王公大臣許與氣義此疇曩心迹安敢不盡於君侯哉君侯制作侔神明德行動天地筆參造化學究天人幸願開張心顏不以長揖見拒必若接之以高宴縱之以淸談請日試萬言倚馬可待今天下以君侯爲文章之司命人物之權衡一經品題便作佳士而今君侯何惜階前盈尺之地不使白揚眉吐氣激昂靑雲耶昔王子師爲豫州未下車卽辟荀慈明既下車又辟孔文舉山濤作冀州甄拔三十餘人或爲侍中尙書先代所美而君侯亦一薦嚴協律入爲祕書郎中閒崔宗之房習祖黎昕許瑩之徒或以才名見知或以淸白見賞白每觀其銜恩撫躬忠義奮發白以此感激知君侯推赤心於諸賢腹中所以不歸他人而願委身國士儻急難有用敢效微軀且人非堯舜誰能盡善白謨猷籌畫安敢自矜至於制作積成卷軸則欲塵穢視聽恐雕蟲小技不合大人若賜觀芻蕘請給紙墨兼之書人然後退埽閑軒繕寫呈上庶靑萍結綠長價於薛卞之門幸惟下流大開奬飾惟君侯圖之

獻南海崔尙書書　　劉蛻

所謂大丈夫豈天使爲之哉以其進爲天下利退有百世名顯爲諸侯師默成萬世法而已爲退默者爲避人得時而退默者爲自

進為進顯者為必行不得時而進顯者為失志以雄才盛德不可不兼其時故無其時不可行也有時而志未達又不可行也志達而未信於天下又不可行也上位之人有不可故下位之人有踰垣塞牖而自遁者又豈惟退默而已哉方今天下百姓不敢爭步豎子弄兵曾無筋穿皮蠹之患尋已誅伏然而閤下不謂無其時乎昔雍邱不能以才達求討吳蜀以自試班超不能守其家儒然後得官校尉夫文家之不遇清世不免操弓矢而擐甲冑也今則仕由文學著官自清顯尊閤下不謂志未達乎夫南海實莞権之地有金珠貝甲脩牙文犀之貨非茂德廉名國家常重其人閤下不謂未信於天下乎當其時士亦固不以天下之廣自隘以居其身不以天下之道自負以不知己故賂媒請介則不忍為守媒待介或有所自棄故退默者不得不自進矣閤下以為時乎未可乎嗚呼蛻之生於今二十四年雖天有南無可置其門雖天有東不

得開其序伏臘不足於糗糧冬夏常苦於皸瘃然而因時著書滿十卷自謂不有得於今必有得於後不有得於人必有得於鬼神今則力疲而天下笑日暮而郵舍閉今遇閤下則踰垣塞牖而已雖然當閤下進為天下利而又顯為諸侯師之時奈何得有踰垣塞牖之蛻乎故先自棄南嚮再拜不勝懇懇窮泰有時未可知也謹貢舊投刺書一卷以其最近於情雜歌詩共二卷以其頗有逸事伏惟周賜觀覽無憚僇笑

上節度使書　　房魯

今之君侯垂金印結紫綬處內則堂皇數仞侍婢娟然衣羅紈鳴珥環出聲態者累百居外則戟列重扉介夫毅然執弩矢擁鈇鉞侯指令者數千君侯目視飛鴻氣如橫蜺而貢士布衣有塵飢童無色蹇驢竭蹷而來干謁誠志業不怍氣容自若且以干望為心亦不能無愧其望非望飲醲醬肥被鮮曳華指揵乘駿也所以望者蓋祗行立名之流非附青雲之士焉得施於世其愧非愧布衣

糲食飢僮蹇驢也所以愧者彼何人也予何人也夫賈居闤闠藏其貨物俟有求者雖巨人必恭然而請賈人言其直則高之曰必若干乃得求者卒不能小減而市矣及其人持物貨歷戶而自唱曰某好物某好貨其將市雖小兒童則鄙然視之問其直幾何其唱者且平其直必愈卑之十七八戲耳誠金玉其物貨祇以盜有而竊置爲宜然何以至是彼不求此望售也士之干人亦然士非不能隱山林羣麋鹿脫俗姿態又思孔子干歷削逐如此而不足以求行道學孔子者又安得傲然自遂而獨善耶亦非得已富貴之人能趨求貧賤之人人必不謂假聲勢也又不謂諂佞也又不謂利也貧賤之人趨求富貴之人而大謂之假聲勢也中謂之諂佞也下謂之利也且見自書傳稱說當時英豪智能者或云禮士或云愛客或云薦寵後輩及言窮約節義者則不過不諂於富貴不慼於貧賤而已今之君侯不惟其不禮士不愛客不薦寵後輩蓋無意趨求貧賤之人貧賤之人趨求之往往得罪過不一二而已惟閤下有古英豪之氣必能招來窮困者大道之行則澤布四海矣不則雲卷一邱閤下識某之心非有覬於閤下而云云其說閤下且視之爲何如其理豈不然耶他俟盡於棨戟之前某再拜

與京西節度使書（一作與鳳翔邢尚書書）　韓愈

愈再拜布衣之士身居窮約不借勢於王公大人則無以成其志王公大人功業顯著不借譽於布衣之士則無以廣其名是故布衣之士雖甚賤而不諂王公大人雖甚貴而不驕其事勢相須而先後相資也今閤下爲王爪牙爲國藩垣威行如秋仁行如春戎狄棄甲而遠遁朝廷高枕而不虞是豈負大丈夫平生之志願哉是豈負明天子非常之顧遇哉赫赫乎洸洸乎功業逐日以新名聲隨風而流宜乎讙呼海隅高談之士奔走天下慕義之人使或願馳一傳或願操一戈納君於唐虞收地於河隍然而未至乎是者蓋亦有其說云豈非待士之道未甚厚遇士之禮未甚優請麤言其事閤下試詳而聽之夫士之來也必有求於閤下夫以貧賤

而求於富貴正其宜也閤下之財不可以徧施於天下在擇其人之賢愚而厚薄等級之可也假如賢者至閤下乃一見之愚者至不得見焉則賢者莫不至而愚者日遠矣假如愚者至閤下以千金與之賢者至亦以千金與之則愚者莫不至而賢者日遠矣欲求得士之道盡於此而已矣欲求得士之賢愚在於精鑒博採之而已矣精鑒於已固已得其十七八矣又博採於人而百無一二遺者焉若果行是道愈見天下之竹帛不足書閤下之功德矣天下之金石不足頌閤下之形容矣愈也布衣之士也生七歲而讀書十三而能文二十五而擢第於春官以文名於四方前古之興亡未嘗不經於心也當世之得失未嘗不留於意也嘗以天下之安危在邊故六月于邁來觀其師及至此都徘徊而不能去者誠悅閤下之義願少立於階墀之下望見君子之威儀也居十日而不敢進謁者誠以左右無先為容慴閤下以眾人視之則殺身不足以滅恥徒悔恨於無窮故先陳此書序其所以來之意閤下其無以為狂而以禮進退之幸甚幸甚愈再拜

上江西李大夫書　皇甫湜

居蓬衣白之士所以勤身苦心矻矻皇皇出其家辭其親甘窮飢而樂離別者豈有貳事哉篤守道而求知也有位之人所以休聲茂功鑠光保大不絕動而窮名者亦無異術焉樂育材而得人也人無所知雖賢如仲尼窮死而道屯況其下者乎未得其人雖聖如唐堯水不抑而凶未去況其下者乎故上之於人下之求知相須若此之急而相得若此之難者何也蓋以在位者居高而聽深在下者行卑而迹賤事勢不同出處相懸故也況乎上之人負其位不肯求下之人負其才不肯屈此其所以相須若此之急相得若此之難也湜自學聖人之道誦之於口銘之於心徒恨今之人待士之分以虛華而已今之士望人之分以豪末而已上下相鼓波流相翻抱特行者渾眾人抱奇才者之卓識智與愚相渾古之道不行是以役役棲棲獨鬱鬱而無語竊以閤下以周召之才居

周召之職獨習傑出孜孜以下問收接而博觀自江而西沈潛泳澤傳之天下汪洋喧闐是以發憤而來非有他也欲以望閤下之輝光窺閤下之深高下靡豪傑之風以快平生之心耳伏惟降其尊嚴而省覽之裁其可否而去就之無以其淺微察其辭觀其志而不錄其罪幸甚謹獻舊文十首以先面贄干犯左右惶懼于旌門之前

上崔華州書　李商隱

中丞閤下愚生二十五年矣五年誦經書七年弄筆硯始聞長老言學道必求古爲文必有師法常悒悒不快退自思曰夫所謂道豈古所謂周公孔子者獨能耶蓋愚與周孔俱身之耳以是有行道不繫今古直揮筆爲文不愛攘取經史諱忌時世百經萬書異品殊流又豈能意分出其下哉凡爲進士者五年始爲故賈相國所憎明年病不試又明年復爲今崔宣州所不取居五年間未曾衣袖文章謁人求知必待其恐不得識其面恐不得讀其書然後乃出嗚呼愚之道可謂强矣可謂窮矣寧濟其魂魄安養其氣志成其强拂其窮惟閤下可望輒盡以舊所爲發露左右恐其意猶未宜滅故復有是說某再拜

與西京幕府書　劉蛻

漢武帝聞子虛賦初恨不與相如同時既而復喜其人之在世也若然者居蓬蒿而名聞之於天子富貴固不足疑其來爵土固不足畏其大今案其本傳云官則止於使者居家初則甚貧嗚呼有才如相如有好才如漢武帝然而不達者蛻知之矣于時武帝以四境爲心中國耗弱爵土酬於謀臣金帛竭於戰士雖念一篇之子虛固不能減十夫之口食宜矣蛻也生值當時天下無事以文爭勝得居第一獨蛻居家甚困自身三十過於相如者蓋無人先聞子虛於天子今又不然使有聞之於藩翰大臣則其人自不廢棄老死者也嗚呼時異矣事古矣相如之時雖遇天子不能致富貴于今之時遇藩翰大臣則足以敘材用伏惟執事以文學顯用

士之得失無不經於心謂小生之言何如哉

文粹卷弟八十八

士之宿夫無不經於心謂小生之言何如哉

文粹卷第八十八